FOREZ-VELAY
ROMAN

Texte d'Olivier Beigbeder

Photographies inédites Zodiaque

FOREZ-VELAY

Traduction allemande d'Hilaire de Vos

Traduction anglaise de Mrs. Pamela Clarke

ROMAN

MCMLXII ♃

ZODIAQUE

la nuit des temps

PRÉFACE

Si nous ne voulions conserver à tout prix le caractère de cette collection qui souhaite, en un ensemble d'ouvrages relativement restreint, réaliser une manière d'anthologie des grandes provinces romanes et des arts qui en expliquent les traits majeurs en partie, nous aurions été tentés de donner plus d'ampleur à ce volume.

Le Forez, plus encore le Velay roman, méritaient sans doute mieux que le travail ici tenté. Ce n'est point sans regret que nous avons dû, une fois de plus, limiter notre choix devant la profusion des richesses offertes, en ces deux provinces. Des notices brèves rappelleront du moins qu'à côté des édifices retenus, d'autres, non moins remarquables, méritaient meilleur sort.

Favorisée par la nature, cette vaste région que sillonne et qu'unit le cours supérieur de la Loire, ne l'est pas moins par ses monuments. Comment pourrait-on méconnaître la valeur des sites dans lesquels ils se viennent inscrire? Les monts du Forez et du Velay, la plaine de la Loire séduiront d'emblée le visiteur. Les églises elles-mêmes devraient avoir meilleur renom que celui dont elles jouissent présentement.

Nous ne parlons pas du Puy, bien sûr, universellement et justement célèbre, encore qu'une restauration abusive de la cathédrale ne saurait être passée sous silence. Mais Saint-Romain-le-Puy, Pommiers-en-Forez, Rozier-Côtes d'Aurec, Chamalières, sans oublier d'autres églises qui auraient dû tenir plus de place en cet ouvrage : Saint-Rambert et Champdieu en Forez, Le Monastier et Saint-Paulien en Velay — pour ne citer que les meilleures d'entre elles — sont des chefs-d'œuvre dont il serait injuste de taire les noms au regard d'autres, moins austères peut-être, mais parées souvent de vertus moins grandes.

Si la sculpture parvient, à Saint-Romain et à Rozier surtout, à des sommets, l'architecture l'emporte et domine avant tout. Sans atteindre toujours au dépouillement de Pommiers, elle donne, à tous et à chacun des édifices, une valeur secrète, intense, qui, pour échapper sans doute à certains, n'en est pas moins irremplaçable.

Cette note d'austérité, de dépouillement, de rigueur, jointe à une richesse intérieure peu commune, nous semble en fin de compte le caractère dominant de l'art roman en ces lieux. C'est assez dire son importance, l'urgence aussi de son message en notre temps.

7

PRÉSENTATION

Il n'est pas beaucoup de villages en Velay ni en Forez qui ne possède une église ou une chapelle romane, ou encore une église dont une partie soit romane. Et pourtant, au cours du XIᵉ siècle, crucial pour l'élaboration de l'art roman et où l'Occident chrétien a pris conscience de lui-même, on ne voit pas que de grandes églises se soient élevées par ici, comparables à celles qu'on a construites dans d'autres régions; il n'apparaît pas non plus qu'au XIIᵉ siècle, une école régionale, douée d'un style original, ait vu le jour, comparable à l'école auvergnate par exemple.

Au XIᵉ siècle, Le Puy émerge à peine des brumes de la légende et la première basilique qui s'élève alors n'a encore que des proportions réduites, inférieures à celles des églises rivales voisines du Monastier ou de Chamalières. Et malgré son prestige, la cathédrale à l'architecture unique et très peu imitée, n'a pas réussi à imposer un style véritable, commun à nos deux régions : seules des aides extérieures lui ont permis de s'élever telle que nous la connaissons, et ont soutenu l'évêque, désarmé en face de ses rivaux politiques puissants.

En second lieu, la plupart des églises foréziennes et vellaves sont petites, et en dehors de l'importante abbaye du Monastier, elles se rattachent en règle générale à des prieurés tenus par un ou deux moines ou ermites. Leur pauvreté explique que l'on n'ait pas toujours pu faire venir de loin pour les décorer un meilleur matériau que celui que l'on trouvait dans

le sol à proximité, par exemple le calcaire de Charlieu en Forez, le grès de Blavozy en Velay, qui auraient permis une plus riche sculpture. C'est surtout en Forez que la pierre de bonne qualité est rare et que l'on a presque exclusivement employé le granit des carrières de Moingt, déjà utilisé à l'époque romaine et qui se prêtait très mal aux subtilités de la sculpture.

Néanmoins, certains caractères communs définissent l'architecture et surtout le décor des églises vellaves et foréziennes. Rien ne s'inscrit mieux dans un milieu géographique, historique et humain que la gloire dont a joui la Vierge célèbre, et les facteurs qui ont déterminé les aspects du Puy ont aussi agi en Forez.

Le premier trait frappant, caractéristique du Velay et du Forez, mais qui trouve son apogée au Puy, c'est l'accord entre le paysage souvent accidenté et les sanctuaires élevés souvent sur des hauteurs. Les plaines du Puy et du Forez sont dues au même mouvement géologique qui souleva le rebord oriental du Massif Central et, réveillant l'activité volcanique, forgea l'étrange paysage vellave avec ses coulées phonolithiques, ses orgues, telles celles d'Espaly, son aspect tourmenté et riche en couleurs. Et cette activité volcanique explique notamment l'érection de ces monticules de natures diverses qui ponctuent les deux plaines, émergeant de terres encore inondées, et qui ont fait l'objet de légendes tenaces.

8

Ce sont les sanctuaires les plus vénérés qui se sont édifiés sur les hauteurs. Si les églises sont de masse simple et de proportions réduites et n'ont pas utilisé la lave avec la même prodigalité qu'en Auvergne, sauf parfois en façade, c'est pour mieux réaliser un accord des sanctuaires avec la montagne.

L'accord avec le sol s'est encore manifesté par le réemploi de restes antiques qui s'étaient trouvé enterrés en grande abondance. La multiplicité de ces débris s'explique surtout par la proximité des grandes capitales, à l'époque romaine, de Lyon et de Vienne, d'où rayonnaient en Forez et en Velay un grand nombre de voies jalonnées de travaux d'art.

On sait que le Moyen Age n'a pas établi la même contradiction que nous entre Antiquité païenne et Christianisme, et à Vienne, jusqu'au XVIII° siècle, un temple antique a pu servir d'église. « Rien n'était trop beau pour l'église », et les œuvres de l'Antiquité ne pouvaient que l'embellir. Le véritable musée lapidaire que constitue le chevet de la cathédrale du Puy est très suggestif à cet égard ; de même cippe et statue de Priape sont encastrés dans l'église de Saint-Paulien, bourg voisin du Puy et ancienne capitale romaine, où l'on voit même une statue du dieu celtique Cernunnos décorer le tympan d'une chapelle, non loin de l'église. Dans nombre d'églises, motifs des chapiteaux et des frises imitent les acrotères antiques et parfois inscrivent les serpents ou les spirales de celles-ci dans la bouche du personnage pour signifier sa damnation.

En outre, bien que fortement enracinées dans le sol, par leur décor les églises mettent en lumière de lointaines influences, fait qui s'explique par l'afflux continu des pèlerins au Puy et par le caractère aventureux des habitants, leur goût des voyages. En effet la pauvreté du sol, la rigueur du climat ont entretenu à toutes les époques l'activité de relations — ce qui ne contredit pas l'attachement au terroir — qui caractérise aussi bien les Foréziens et les Vellaves que les Auvergnats.

Déjà Strabon avait indiqué que le commerce était la grande activité des Foréziens et il avait signalé l'importance du trafic sur la Loire à partir de Bas. Il en était de même des Vellaves : une célèbre main de bronze portant une inscription grecque : Symbole donné aux Vellaves, prouve également leur activité commerciale.

Des influences très lointaines sont visibles dans l'art roman local. Des imitations de tympans espagnols à Aiguilhe, à Rozier-Côtes d'Aurec, nous rappellent qu'un siècle plus tôt, Godescalk avait été le premier pèlerin de Saint-Jacques de Compostelle. Les imitations frappantes de l'art arabe au Puy évoquent le souvenir des pèlerinages des Arabes au Puy : ceux-ci, qui ont même dû se fixer dans la région, ont été employés en particulier dans l'orfèvrerie et dans les arts du métal.

En sens inverse, on voit que l'orfèvre Théodelelme de la Chaise-Dieu a été appelé à Périgueux pour travailler au tombeau de Saint-Front et les ouvriers du Puy ont été embauchés pour élever la cathédrale de Valence.

D'autres relations se sont établies avec l'Italie : les prieurés de Rozier et d'Aurec ont été rattachés à l'abbaye Saint-Michel-de-la-Cluse en Piémont et les fresques de la cathédrale du Puy prouvent aussi des relations suivies avec l'Italie. En particulier dans les tribunes, le gigantesque saint Michel est une copie d'une médaille de pèlerinage du Monte Gargano.

Relations avec l'Orient enfin : si l'évêque du Puy a été l'un des instigateurs de la première croisade, Pierre l'Ermite a été moine à Saint-Rigaud en Forez,

9

et les seigneurs de Châteaumorand, parmi d'autres foréziens et vellaves, seront encore les derniers à défendre Jérusalem contre les Turcs.

Influences lointaines, restes trouvés dans le sol, sont à l'origine d'un certain répertoire iconographique particulier aux églises du Forez et du Velay. Contrairement à ce que l'on pense d'habitude, le décor animal et végétal des églises romanes a un sens et nulle région, mieux que celle du Forez et du Velay, ne permet de s'en rendre compte.

Si le symbolisme des sujets de l'art roman est discuté, c'est que pour le définir les textes sont de peu d'utilité. Les enseignements que contiennent frises et chapiteaux s'adressaient à une population qui tout en ne sachant pas lire possédait une culture profonde. Les symboles romans sont comparables aux écritures primitives, moitié signe, moitié image, et la cohérence des sujets inscrits sur les frises et les chapiteaux est la même que dans les très anciens sanctuaires : pour comprendre leur langage, il faut considérer leur disposition dans les différentes parties de l'édifice où ils forment des suites.

On discerne d'autant mieux le symbolisme des sujets que la sculpture est plus pauvre et l'architecture plus médiocre dans ses ambitions. C'est la raison pour laquelle la région du Forez et du Velay est favorable à la recherche du symbolisme roman. Et c'est sur ce terrain de l'iconographie et de la disposition des sujets que Le Puy a exercé une grande influence aussi bien dans l'espace que dans le temps, et à tout prendre il serait bien anormal que n'en ait exercé aucune le sanctuaire dont la Vierge a excité une si durable ferveur.

Nul motif seulement humain, aucun facteur purement économique ne suffit à expliquer la touchante vénération venue du tréfonds de l'âme populaire pour la Vierge-reliquaire et saint Michel, tous deux vénérés au Puy.

C'est en effet l'élan spontané des populations à l'approche de l'an mil qui créa le jubilé local ; celui-ci se produit toutes les fois que la fête de l'Annonciation coïncide avec le Vendredi Saint. Un élan de ferveur populaire sera aussi à l'origine de la confrérie des encapuchonnés qui se proposaient la défense des voies de pèlerinage menacées par les brigands. Toutes les maisons du Puy chantaient à leur manière la gloire de la Vierge, car elles comportaient une niche abritant une imitation de la Vierge-reliquaire qu'il était de règle d'illuminer : il en reste encore un certain nombre.

Il n'est pas douteux que les masses ne s'intéressaient pas seulement à la Vierge, mais aussi au décor sculpté de la cathédrale et de son cloître, si l'on en juge par les nombreuses imitations qu'il a suscitées à toutes les époques, non seulement à l'époque romane, mais aussi dans les églises gothiques, baroques, et même dans celles qu'on construit de nos jours.

Un phénomène comparable se manifeste dans la région de Saint-Bonnet-le-Château et en Forez, où à la fin du Moyen Age les personnages et animaux de l'art roman revivent sous forme de gargouilles ou de culs-de-lampe à l'extérieur des églises pour évoquer les fêtes de carnaval et de mi-carême. Les imitations tardives des sujets du Puy, les gargouilles du Forez montrent que les invectives de saint Bernard contre les " monstres hideux " de l'art roman n'ont pas été entendues.

TABLE

Introduction

Le Puy

Saint-Romain-le-Puy

Pommiers-en-Forez

Rozier-Côtes d'Aurec

Chamalières

L'ART ROMAN DU VELAY ET DU FOREZ

L'ensemble que constituent les églises du Velay et du Forez ne peut passer pour une véritable école d'art roman au même titre que l'école auvergnate par exemple. On a souvent traité l'art roman du Puy comme un rameau de l'école auvergnate, et rattaché certaines églises du Forez, comme Champdieu, prieuré de Manglieu, et Saint-Rambert, à cette école.

D'autre part, les influences bourguignonnes et provençales ont été très vives en Forez comme en Velay. En Velay, divers petits édifices de plan centré rappellent les baptistères provençaux. Certains procédés architecturaux, les chœurs à pans du Velay et de certaines églises foréziennes, les arcatures murales dans les deux régions, viennent de Provence. Il n'est pas nécessaire d'insister sur l'influence bourguignonne si vive dans les grandes métropoles voisines de Lyon et de Vienne : le portail de Bourg-Argental dans la Loire est une imitation assez fidèle de celui de Cluny; nombre de prieurés locaux dépendaient de la grande abbaye; enfin pour sa reconstruction sur un terrain assez mouvant, la grande abbatiale du Monastier-Saint-Chaffre, près du Puy, a fait appel à des architectes bourguignons.

D'ailleurs au point de vue historique, rien n'indique que ni le Forez, ni le Velay, n'aient jamais formé de véritables unités politiques cohérentes, douées d'autonomie. Jusqu'à 1173, date à laquelle un accord intervient entre le Comte de Forez et l'archevêque de Lyon, le Forez n'a jamais cessé d'être inclus dans le Lyonnais, et même à cette date on ne peut pas dire que se soient établies des frontières réelles et durables, tant les enclaves et les imbrications étaient nombreuses vers le Beaujolais, le Lyonnais, le Viennois surtout.

Sans doute, le diocèse du Puy constitue une unité plus cohérente, ses limites étant, comme il arrive souvent, celles de la cité romaine, mais l'histoire de l'évêché sera celle d'une longue lutte avec les Polignac, ce qui contribuera à justifier les fréquentes interventions des rois de France. Le Velay est aussi peu indépendant politiquement que le Forez : de 973 à 1073, il a été rattaché à l'Auvergne, à l'Aquitaine par la suite.

En fait cependant, l'art roman local se résume avant tout dans un sanctuaire fameux qui ne doit rien à l'Auvergne, ni à la Bourgogne, et qui lui-même a été imité dans la vallée du Rhône, à Champagne (Ardèche), à Valence : c'est le sanctuaire du Puy. Abritant une Vierge-reliquaire, d'origine mystérieuse, dans un cadre extraordinaire qui a contribué à sa gloire, cette église a attiré des foules lointaines, surtout les populations du Sud-Ouest séduites par son mystère même, mais aussi celles qui, du Nord-Est, se dirigeaient soit vers l'Espagne et Compostelle, soit vers l'Italie, Rome, et de Bari, s'embarquaient pour la Palestine.

C'est la faiblesse même de l'évêque, avec le prestige immense dont jouissait la Vierge du Puy dans tout le Sud-Ouest, qui explique la sollicitude des papes et des rois, car en favorisant la vénération populaire, ils pensaient contribuer à enrayer le danger cathare. Leurs largesses expliquent l'ampleur de la cathédrale qui, avec ses cinq coupoles, sa tour-lanterne à la croisée, son chœur rappelant le plan tréflé, présente, comme l'a montré E. Mâle, plus d'une analogie avec les grands sanctuaires de l'Égypte copte. Malheureusement ni les aménagements du XVIIIe siècle, ni les restaurations maladroites ou même infidèles des modernes, ne l'ont épargnée.

Des influences comparables se sont exercées à Vienne et à Lyon, dans les églises et cathédrales de ces grandes métropoles, et c'est seulement à partir de Lyon et de Vienne dont les influences se sont exercées dans les deux provinces que l'on pourrait définir une région d'art roman, mais cette région se distinguerait des autres surtout sur un terrain auquel il n'est pas d'usage d'attacher une grande importance, celui de l'iconographie : ce qui singularise le Velay et le Forez, et les grandes églises viennoises et lyonnaises aussi, c'est un certain répertoire iconographique et une disposition particulière des thèmes dans l'édifice. Comme ces notions ne sont pas très connues, ni couramment admises, il est nécessaire de les préciser.

Une disposition systématique des sujets dans toutes les parties de l'édifice se remarque surtout dans l'église byzantine, de forme cubique, couronnée par une coupole, qui veut imiter par son plan et son programme iconographique, la *Cité céleste* décrite dans l'Apocalypse. Un vaste décor de fresques ou de mosaïques intérieures couvrait ses murs. Une disposition cohérente de thèmes, mais en façade, se révèle aussi, à l'époque romane, dans les églises de l'école de l'Ouest, dont la masse cubique évoque aussi la *Cité céleste*. L'église d'Occident n'a pas adopté le plan centré byzantin, mais un plan basilical, et si des *suites* de thèmes n'apparaissent pas si clairement qu'en Orient, c'est qu'à la technique des murs pleins, caractéristique des églises byzantines, on a dû préférer celle des points portants, ce qui obligeait à espacer les thèmes peints et sculptés. Seules des églises archaïques, comme justement celles du Forez et du Velay, présentent encore des *suites* de thèmes : les fresques de facture byzantine sont encore nombreuses à la cathédrale du Puy, et ses épais piliers ont permis l'exécution de véritables séries de chapiteaux sculptés dont le sens apparaîtra mieux que celui des chapiteaux auvergnats plus espacés.

En second lieu, en Occident l'église est un édifice rendu complexe par l'adjonction de multiples clochers, souvent aussi d'une crypte; et surtout elle n'est plus un édifice simple mais double, car une division s'est rapidement établie entre l'église populaire, la nef, et l'église réservée aux clercs, l'abside, séparées d'abord par un cancel, plus tard par un jubé : il arrive qu'un programme distinct décore la nef et l'abside.

Selon la partie de l'église qui est la plus décorée, partie antérieure ou abside, on peut distinguer deux types principaux d'organisation. L'organisation du type Sud-Ouest, depuis le Nord de l'Espagne jusqu'au Poitou, comprenant l'école de l'Ouest, peut être appelée *antérieure* ou *en façade*, car les programmes iconographiques se développent surtout dans la partie antérieure de l'édifice : nef, narthex, porche ou façade selon les régions. Si certaines églises rappellent l'église byzantine et évoquent par leur plan d'ensemble la Cité céleste, les thèmes ainsi localisés dans la partie antérieure de l'église et non plus groupés autour de la coupole n'ont plus le même sens que les thèmes byzantins. Au lieu de montrer le Christ triomphant dans l'éternité au sein du monde rétabli, ils insistent sur l'idée de jugement et décrivent les destructions prévues par l'Apocalypse. Ainsi le Christ de Beaulieu n'est pas vraiment un Christ

Portail de la chapelle de Saint-Michel d'Aiguilhe.

en majesté comme on en voit tant par contre dans le Sud-Est, mais annonce déjà le Christ-Juge séparant les bons et les mauvais : personnages, animaux et même végétaux des piédroits et du trumeau ont des attitudes et des formes tourmentées dans l'attente de ce jugement. D'autre part, les sujets ainsi placés expriment également l'idée de la défense de l'entrée; c'est pourquoi les lions, allusion aux monstres décrits par le texte biblique, sont si nombreux — lions qui expriment comme dans l'antique Méso-potamie l'idée d'interdit.

Le second type d'organisation que l'on peut appeler *absidal* ou *intérieur* intéresse le reste de la France romane, de la Provence à la Loire moyenne et à la Bourgogne. Il respecte mieux le plan basilical et le caractère double de l'église d'Occident. En effet les thèmes apocalyptiques sont encore localisés sur-tout dans la partie antérieure de l'édifice, soit dans les portails, de proportions moins importantes que ceux du Sud-Ouest, soit dans les parties hautes, par exemple dans les chapelles-hautes consacrées à l'archange saint Michel. Mais en outre l'importance essentielle est donnée à l'abside, souvent ornée de mosaïques de pavement, de fresques ou de chapi-teaux. Que ce soit sur les portails ou dans les absides, ce sera toujours, selon la conception byzantine, un Christ triomphant qui se présentera, et les person-nages auront toujours une attitude frontale, sereine et statique. Toutefois on ne doit pas considérer les limites ainsi établies entre deux types d'organisation comme trop rigoureuses : en effet certaines pro-vinces, par exemple la Catalogne ou la Saintonge, connaissent à la fois les deux.

Malgré le décor de façade de la chapelle d'Ai-guilhe, malgré l'importance des entrées à la cathé-drale, malgré la fréquence des lions de défense à l'entrée des églises, la disposition des sujets en Forez-Velay est toujours absidale, si elle n'est pas toujours intérieure, et les thèmes reflètent très spécialement l'aspect serein de l'influence byzantine.

Tout d'abord le dédoublement de l'église est très visible. Il en est ainsi au Puy, où l'on trouve, à l'imitation de certaines églises coptes et africaines, deux chœurs opposés. De même, dans plusieurs églises foréziennes, à Saint-Rambert et à Champdieu en particulier, le parti double se manifeste, à l'imi-tation de l'église abbatiale d'Ainay à Lyon, par l'existence d'un double clocher, clocher-porche et clocher surmontant la croisée du transept. D'ailleurs le plan de l'église s'ouvrant par un porche surmonté par une tour carrée, à l'instar de la vieille église Saint-Pierre de Vienne, distingue également au sein du *premier art roman*, les églises de la vallée du Rhône. Les églises de Saint-Rambert et de Pouilly-lès-Feurs ont dû être commencées à la fois par le chœur et par le côté occidental et il semble qu'à Pouilly-lès-Feurs, une erreur dans l'implantation de la façade, d'exécution pourtant très soignée, ait entraîné un manque de régularité dans l'implantation des travées.

En second lieu, un trait commun au Forez et au Velay est l'importance extrême attachée aux absides et l'ampleur que l'on a tenté de leur donner par divers artifices, trait commun aux églises lyonnaises et viennoises. Lorsqu'il ne subsiste qu'une partie romane dans une église, c'est toujours l'abside, ainsi à Saint-Julien-Chapteuil, à Riotord, à Rosières au décor d'une richesse exceptionnelle. Devant reconstruire l'église sur des bases plus vastes, au Monastier, on a cependant conservé l'abside de la primitive chapelle Saint-Martin qui s'ouvre sur l'un des bras du transept. Il est très significatif à cet égard d'opposer la conduite des chantiers successifs à Leon, en Espagne, et au Puy : voulant agrandir ces deux églises à des dates différentes, dans la première, on n'a conservé comme vestige sacré de la première construction que le narthex très richement orné, et on lui a adjoint une nouvelle nef et abside ; au Puy, par contre on a gardé la nef et l'abside de l'édifice primitif pour qu'ils servent de chœur au nouveau. Avec leur décor d'arcatures murales, parfois leurs pans extérieurs, les chœurs des églises foréziennes et vellaves sont toujours les parties les plus richement ornées et les plus soignées de la construction. C'est pour donner à l'abside l'ampleur la plus grande que l'on a utilisé assez fréquemment le plan du triconque en Velay, à quoi s'apparente le curieux parti adopté dans les deux chantiers successifs de Saint-Romain-Le-Puy. Un autre usage courant dans la région lyonnaise, fréquent en Forez, et que l'on trouve à Polignac près du Puy, est celui des deux passages faisant communiquer les travées précédant le chœur et les absidioles. A Saint-Rambert, pour donner le plus de majesté possible au chœur, les travées sont de plus en plus petites à mesure qu'on s'en rapproche. De même, les grandes églises de Saint-Paulien et de Chamalières ne comportent pas de déambulatoire, afin d'ouvrir plus largement l'abside, et à Polignac, on a écarté les piliers soutenant la coupole de la croisée au risque d'en compromettre la stabilité, pour un but identique.

Nous avons indiqué que l'architecture de la cathédrale révélait des influences coptes. Des influences de l'Orient, qui ont joué un si grand rôle dans l'art roman, paraissent avoir contribué à déterminer les deux types d'organisation, du Sud-Ouest et du Sud-Est, et leurs iconographies différentes. Le plan centré syro-byzantin est né en Asie Mineure et le thème des affrontements d'animaux, si fréquent dans le Sud-Ouest, vient de l'Iran sassanide. Par contre dans l'aspect serein et triomphal de l'iconographie locale ainsi que dans l'organisation absidale, il faut faire une part aux influences coptes, qui se sont exercées sur les origines de l'art byzantin. E. Mâle a montré que c'est à Saint-Ménas que s'est créé le plan de pèlerinage, imité à Saint-Martin de Tours, puis sur les voies de Compostelle, plan qui donne à l'abside, abri de la relique, l'importance majeure. D'autre part, les chapelles coptes de Baouït présentaient un programme absidal d'une richesse rare qui a été très imité, en particulier dans notre région. Ce programme résumait sur une surface restreinte le décor d'ensemble de l'église byzantine, associant le Christ entre les quatre animaux, et, au-dessous, la Vierge entre les apôtres et les saints, image de l'Église. Or ce programme est présent dans l'abside.

D'autre part, à l'instar des allégories antiques fréquentes dans l'art byzantin, on voyait sur les arcs triomphaux des absides coptes les figures des vertus. A Baouït, l'ordre des vertus indique la supériorité de la vie contemplative sur la vie active, en portant l'accent sur les trois vertus théologales qui symbolisent en même temps les trois étapes de la mystique. Représentée ou non par des vertus féminines, cette idée des *étapes* apparaît dans plusieurs ensembles que nous étudierons.

Nul doute que le décor profondément inspiré par l'Orient n'ait contribué à la fascination que Le Puy a exercé pendant un millénaire sur les masses populaires. L'abside sacrée de l'église chrétienne est un souvenir de la grotte : les anciens temples égyptiens, comme les chapelles de Baouït, étaient souterrains. D'après les légendes, saint Michel, protecteur du Puy et héritier du psychopompe égyptien, est presque toujours apparu près d'une grotte au flanc d'une montagne. Or c'est par une grotte véritable

ménagée dans la hauteur que le pèlerin devait pénétrer dans la cathédrale suspendue, pour vénérer, couverte par ses multiples robes, celle qu'il appelait
l'Égyptienne.

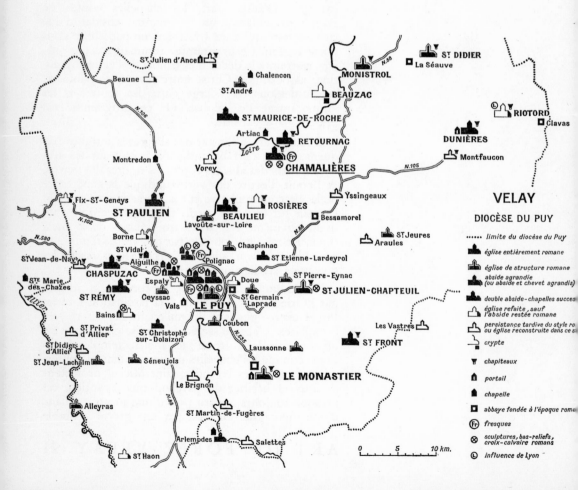

St Julien d'Ance
Beaune
Chalencon
St André
Chalencon
Monistrol
La Séauve
St Didier
St Maurice-de-Roche
Artiac
Retournac
Montredon
Loire
Riotord
Clavas
Dunières
Vorey
Chamalières
N.105
Montfaucon
Fix-St-Geneys
Rosières
Yssingeaux
VELAY
St Paulien
Beaulieu
N.102
Lavoûte-sur-Loire
Bessamorel
DIOCÈSE DU PUY
Borne
Chaspinhac
St Jeures
Araules
St Vidal
N.88
St Jean-de-Nay
Aiguilhe
Polignac
St Etienne-Lardeyrol
N.590
Ste Marie
des Chazes
Chaspuzac
Espaly
Doue
St Pierre-Eynac
St Rémy
Ceyssac
Vals
St Germain-
Laprade
St Julien-Chapteuil
Bains
Le Puy
Alleyras
St Privat
d'Allier
Coubon
Les Vastres
St Didier
d'Allier
St Christophe
sur-Dolaizon
Laussonne
St Jean-Lachalm
Séneujols
St Front
Le Brignon
Le Monastier
St Martin-de-Fugères
Arlempdes
Salettes
St Haon

..... limite du diocèse du Puy
église entièrement romane
église de structure romane
abside agrandie
(ou abside et chevet agrandis)
double abside-chapelles succes.
église refaite, sauf
l'abside restée romane
persistance tardive du style ro
ou église reconstruite dans ce s
crypte
chapiteaux
portail
chapelle
abbaye fondée à l'époque rom
(Fr) fresques
⊗ sculptures, bas-reliefs,
croix-calvaire romans
(L) influence de Lyon

0   5   10 km.

COMTÉ DE FOREZ

.... limite du comté de Forez
église entièrement romane
église de structure romane
abside agrandie
(ou abside et chevet agrandis)
chœur à passages latéraux
église refaite , sauf
l'abside restée romane
persistance tardive du style roman
ou église reconstruite dans ce style
crypte
chapiteaux
portail
chapelle
abbaye fondée à l'époque romane
sculptures , bas-reliefs
croix-calvaire romans
influence de Lyon

Chérier
St Jean-le-Puy
St Maurice-sur-Loire
Loire
N.82
Verrières
POMMIERS
Bussy- Albieux
POUILLY-LÈS-FEURS
Rochefort
Ste Foy-St Sulpice
Cleppe
L'HÔPITAL-SOUS-ROCHEFORT
La Valette
Palogneux
N.89
St Etienne-le-Molard
Saïl-sous-Couzan
Salt-en-Donzy
Couzan
Montverdun
Marcilly-le-Pavé
Sauvain
Chalain-d'Uzore
Marclopt
CHAMPDIEU
St Médard
Moingt
Prétieux
Joursey
Veauche
St Romain-en-Jarez
Lavieu
St ROMAIN-LE-PUY
Boisset-St Priest
St Jean-Soleymieux
St RAMBERT
St MARCELLIN
St Priest-en-Jarez
Chuyer
Montarcher
N.498
St Etienne-Valbenoîte
Chambles
St Victor-sur-Loire
Pélussin
St Bonnet-le-Château
La Tourette
St Nizier-de-Fornas
St Paul-en-Cornillon
Usson-Chambrias
Firminy
St Hilaire-Cusson-la-Valmitte
Chazeau
ROZIER-CÔTES-D'AUREC
N.88
Argental
Bourg-Argental
N.82
0 5 10 km.
N.503
St Sauveur-en-Rue
RIOTORD
Clavas

NOTES SUR

QUELQUES ÉGLISES ROMANES DU FOREZ ET DU VELAY

1 *BAINS.* ADJOINTE A UN PRIEURÉ DÉPENDANT DE CONQUES, FONDÉ en 1105, la petite église de Bains a encore son chevet roman. Mais son principal intérêt est, d'une part, une cuve hexagonale qui devait servir autrefois de cuve baptismale — on y voit sculpté un sujet assez rare, le baptême du Christ —, d'autre part son portail : la dernière archivolte polylobée de ce portail est ornée d'une bande de motifs sculptés. L'ensemble constitue une frise semblable à celle de la corniche du cloître de la cathédrale du Puy, c'est-à-dire que les sujets représentés symbolisent les diverses tentations qui peuvent assaillir le moine soit au cours de la journée, soit au cours de la nuit. En particulier le manque de foi est figuré par le hibou, vers lequel un moine semble lever la tête, — le hibou est le symbole du juif; les péchés de la chair sont signifiés par des femmes prises dans des feuilles, par des tritons et des sirènes.

2 BEAULIEU. *LA PETITE ÉGLISE ANNEXÉE A UN PRIEURÉ DÉ-pendant de Tournus est doublement intéressante; d'abord par son architecture — elle possède une abside du premier quart du XIe siècle avec trois chapelles creusées dans l'épaisseur du mur —, ensuite par son décor sculpté, imitation de celui du Puy, cloître et cathédrale.*

On discerne un programme iconographique. A l'entrée du chœur, deux chapiteaux en grès de Blavozy, sculptés avec art, paraissent imiter des motifs de la frise du cloître : l'un présente l'image d'un dieu antique vu à mi-corps, aux cheveux bouclés, entre deux personnages qui cornent dans son oreille avec des trompes; l'autre celle d'une sorte d'ermite, aux traits émaciés, barbu et aux longs cheveux, qui paraît vouloir écarter de ses mains levées l'aspic et le basilic; ceux-ci symbolisent les péchés de l'esprit. A l'extérieur, au chevet, tous les modillons sont à copeaux, sauf deux, au Sud, présentant l'un une tête d'homme barbu, l'autre une tête féminine

au sourire épanoui : c'est la tentation de luxure.

La façade est une imitation de celle de la cathédrale : le motif du double-rinceau du porche du For apparaît sur une fenêtre élevée.

On a trouvé à Beaulieu des restes gallo-romains, en particulier des dauphins sculptés en ronde-bosse.

BEAUZAC. CETTE PETITE ÉGLISE MENTIONNÉE PAR UN TEXTE DE **3** 1179, possède une rareté archéologique : au-dessous d'un chœur à cinq pans, une crypte gothique, très belle, de vastes proportions et présentant sept arcades.

BOURG-ARGENTAL. MÉDIOCRE DE FACTURE, CE PORTAIL RÉEM- **4** *ployé par l'architecte Desjardins qui reconstruisit l'église en 1854, est très intéressant par son iconographie. E. Mâle y a vu la copie de celui de Cluny, car il comporte deux thèmes semblables : le Christ avec le tétramorphe sur le tympan et les vingt-quatre vieillards de l'Apocalypse. Mais aucun texte n'indique une dépendance de Bourg-Argental par rapport à Cluny : dès 844, à Argental, le seigneur avait élevé une chapelle en l'honneur de la Vierge, et l'église du bourg, plus tardive, dédiée à saint André, possédait autrefois deux cures, une cure basse à la nomination de l'archevêque de Vienne, une cure haute dépendant des moines de la Chaise-Dieu, Arthaud d'Argental ayant donné à ceux-ci le prieuré de Bourg-Saint-Sauveur.*

En fait ce portail n'a pas subi seulement l'influence clunisienne, mais aussi celle de Lyon et de Vienne, et reflète surtout comme ces divers ensembles l'influence copte. Association au tympan du Christ au tétramorphe avec un cycle consacré à la Vierge et à la Nativité, archivoltes ornées d'une série de motifs circulaires, comme à Charlieu, où s'inscrivent les vieillards, les signes du zodiaque, et David musicien dirigeant les chœurs des anges ; opposition sur les piédroits de la Foi et de la Charité active — saint Pierre étant représenté sur une statue-colonne, l'aumône sur le chapiteau complémentaire — à la Charité con-

templative incarnée par saint Jacques : tous ces sujets proviennent des absides coptes et on les retrouve sous des formes voisines à Lyon et à Vienne. Un thème inspiré par le drame de Daniel et que l'on peut attribuer aux moines de la Chaise-Dieu, est la figure de Nabuchodonosor, représenté en pied sur la colonne et à quatre pattes sur le chapiteau auprès de saint Pierre ; il symbolise l'idolâtrie ; il portait autrefois les jeunes hébreux à la fournaise, avant les dégradations que le portail a subies de la part des Protestants. Lui fait pendant sur l'autre piédroit l'image de la luxure sous les traits de la femme aux serpents.

5 CHALAIN D'UZORE. CETTE CHA-PELLE DE CHATEAU ÉTAIT SITUÉE dans l'archiprêtré de Forez, mais la cure était à la collation de l'archevêque de Lyon. Elle ne comporte qu'une seule nef ornée d'arcatures et une simple façade scandée par des contreforts. Elle est intéressante surtout par la présence sous l'appui de la fenêtre absidiale, orné d'un cordon billetté, d'une tablette saillante hémi-circulaire, de 1 m 10 de long et 20 cm de large, de courbe contraire à l'abside. C'est l'autel matutinal (cf. Pommiers), qui s'explique par un ancien usage du rituel clunisien perdu ailleurs.

6 CHAMPDIEU. CETTE BELLE ÉGLISE A IMITÉ COMME SAINT-Rambert, le parti adopté à Ainay, du double clocher : clocher-porche et clocher à la croisée. Toutefois le clocher-porche actuel est en hors-d'œuvre et date du XVe siècle. Cette église dépendait d'un des prieurés de Manglieu, mais les traits auvergnats qu'elle présente, voûtement en quart de rond des collatéraux, transept accusé, modillons à copeaux, répertoire des chapiteaux — sirènes à queues de feuilles et génies accroupis — appartiennent à un deuxième chantier du XIIe siècle. Le premier chantier prouve l'in-fluence lyonnaise, car dans la partie qui en reste, surtout la crypte et le chœur à arcatures, on peut voir comme dans la région lyonnaise en général, un étroit passage dans les travées précédant l'abside et les absidioles qui les fait communiquer entre elles. L'église a été fortifiée au XIVe siècle. Les fresques que l'on peut voir dans le réfectoire sont aussi de cette époque.

7 CHANTEUGES. ON TROUVE DANS LES ARCHIVES DU PUY UNE MEN-tion de l'église de Chanteuges datant de 1137. L'église romane, malheureusement défigurée au XVe siècle, possède un très bel ensemble de chapiteaux de style auvergnat représentant en particulier des porte-moutons, des génies à queues de feuilles et des sirènes, et au Nord, un sujet très rare qui confirme l'influence égyp-tienne, celui de la barque de saint Pierre repré-sentée à la façon du voyage funéraire de l'âme dans l'ancienne Égypte.

8 DUNIÈRES. UNE BULLE DU PAPE LUCIUS DONNE LE PRIEURÉ DE Dunières à La Chaise-Dieu, en 1184, et c'est aux moines de cette abbaye, qui avait d'importantes possessions en Poitou, qu'il faut attribuer l'adoption du plan poitevin, avec des collatéraux aussi élevés que la nef et des piliers quadrifoliés.

Un portail situé au Sud est encadré par deux paires de colonnettes surmontées de chapiteaux, dont deux présentent des imitations de certains sujets des piédroits du portail de Bourg-Argental. Nous avons indiqué à Bourg-Argental un chapiteau représentant le roi Nabuchodonosor, nu et à quatre pattes, tel que la Bible le décrit et tel qu'il est représenté à la façade de Poitiers. Ici, à droite du portail, nous retrouvons Nabuchodonosor, mais, bizarrement cou-ché sur le dos, il paraît porter la corbeille ornée de motifs végétaux et d'une sorte de draperie qui lui cache le ciel : c'est la figure même du remords. A gauche, au même emplacement qu'à Bourg-Argental, on retrouve la femme aux serpents : vue à mi-corps elle paraît sortir d'une corbeille végétale et vouloir écarter les deux serpents qui lui mordent les seins.

9 JOURSEY. CETTE PETITE ÉGLISE TRÈS JOLIE, ACTUELLEMENT désaffectée, est incluse dans des bâtiments de ferme et se trouve dans un site agréable. Jour-sey est célèbre par son couvent de chanoinesses nobles.

10 L'HOPITAL-SOUS-ROCHEFORT LE PRIEURÉ FONDÉ AU XIIe SIÈ-cle dépendait de La Chaise-Dieu. L'église ne possède de l'époque romane que le carré du transept, les croisillons, le chœur ; en effet la nef a été refaite et le clocher terminé comme l'enceinte du bourg au XVe siè-cle. Elle abrite une célèbre Vierge à l'Enfant, de la Renaissance. Vers l'Ouest, elle comporte un remar-quable clocher à arcades, à quatre baies portées par des colonnettes dont les chapiteaux sont décorés de motifs ornementaux. A droite de l'élégant portail du croisillon Sud, un trou losangé servait au prieur pour étalonner le pain donné aux pauvres deux fois par semaine. La nef primitive était voûtée en plein cintre, les croisillons et la travée droite du chœur, plus large que celui-ci, étaient en berceau brisé, et la croisée, en berceau transversal. Les murs en très grand appareil sont élevés sur des bases romaines. Des passages s'ouvrent entre la travée droite du chœur et les absidioles.

Les thèmes, savamment disposés dans l'édifice, forment un programme cohérent, comparable à celui de Rozier-Côtes-d'Aurec. A l'extérieur, sur un chapiteau d'une fenêtre haute, deux lions d'avertis-sement dessinent un croisement comme ceux du trumeau du portail de Moissac. Avant la croisée, deux chapiteaux se faisant face représentent, l'un — au Sud — l'image de la violence, l'autre — au Nord — le châtiment du damné avalé par la gueule d'enfer. Dans l'abside, sur deux chapiteaux sur-montant des colonnettes couplées, la victoire de l'élu sur les tentations est symbolisée par un homme nu s'élevant au ciel, entre deux têtes : un masque sortant du feuillage entre deux spires tournées vers l'extérieur, image du pécheur, et une tête à tonsure monastique, surmontée de spires tournées vers l'intérieur, symbolisant l'élu.

11 MONTVERDUN. CETTE ÉGLISE EST SITUÉE SUR UN PIC BASALTique où Honoré d'Urfé, dans *l'Astrée*, place un collège de druides; on a trouvé là les restes d'un oppidum. Le vocable de Dun est d'origine celtique. Le prieuré fondé en 1010, dépendait de Savigny, puis à partir de 1233 de La Chaise-Dieu. Les seules parties romanes de l'église sont, comme souvent dans le Forez et le Velay, le chœur et le transept. Les murs, épais de 1 m 20, présentent au sommet un très bel appareil et sur les chapiteaux de l'abside on voit des *thèmes célestes*, des oiseaux essorants au-dessus d'une zone d'entrelacs et Daniel entre ses lions, d'une facture très grossière. Au centre, dans l'abside, s'élève le tombeau de saint Porçaire, originaire de Montverdun et abbé de Lérins. Un curieux bénitier du XVe siècle montre la survivance de symboles celtiques.

12 LE MONASTIER. *DANS UN SITE REMARQUABLE, UNE CHA-pelle consacrée à saint Pierre et fondée par saint Cormery, gouverneur d'Auvergne, désireux de se retirer du monde, est contemporaine de l'abbaye fondée en 778 par saint Eudes, moine de Lérins; c'est là que saint Théoffrède, dont le nom populaire est saint Chaffre, originaire lui aussi de Lérins, a été martyrisé par les Arabes devant les murs de son couvent. Le buste-reliquaire du saint, recouvert de plaques d'argent, se trouve dans la sacristie. Une seconde chapelle dédiée à saint Martin fut élevée au Xe siècle. Il en reste le chevet formant une petite absidiole dans le croisillon Sud, épargné par la construction nouvelle.*

Celle-ci, l'église actuelle, a été construite au même emplacement que l'ancienne chapelle malgré la difficulté du terrain, sur les conseils de saint Hugues, abbé de Cluny. Celui-ci envoya des architectes bourguignons pour aider l'abbé Guillaume III dans ce travail (1074-1086). Le chœur et les voûtes de l'église romane ont été refaits par François d'Estaing en 1462-1501, les clochers octogonaux clunisiens ont disparu : il reste surtout une façade magnifique de deux étages de trois arcades, séparés par une corniche saillante, mais son couronnement a été modifié.

L'ensemble des thèmes extérieurs et intérieurs est savamment disposé. La corniche de la façade présente une frise semblable à celle de Bains avec les vices-animaux. Les vertus apparaissent sur les chapiteaux du portail, où l'on voit une inscription mentionnant la charité. Un Jugement est sommairement sculpté sur une dalle située au Nord vers le haut de la façade. Deux lions de justice portent une vaste cuve baptismale, et d'autres lions encadrent Daniel, accroupi et nu, à la base du fronton couronnant la façade.

Les chapiteaux de la nef forment également un programme; il présente des points communs avec celui du porche du For. On y voit au Nord un homme agrippé aux feuilles, identique à celui du porche du For; dans la tribune Ouest, deux serpents se mordant la queue rappellent le motif des deux rinceaux du For, thème de source égyptienne assez fréquent en Haute-Loire; une série de monstres ou d'animaux s'affrontant autour de bucranes ou de vases, imitent les motifs de tissus orientaux, tels ceux qui, dans le trésor de l'église, enveloppent les reliques. Des thèmes sacrés apparaissent avant la croisée : sur des culots, atlantes et bœufs se mêlent aux quatre animaux évangéliques.

POLIGNAC. DANS UN SITE IMPOSANT, L'ÉGLISE EST DOMINÉE **13** par la plate-forme volcanique où s'élève la haute tour reconstruite de l'ancien château; elle constituait un bastion sur le flanc Nord. On sait que le prieuré fut donné au XIIIe siècle par Arnaud, vicomte de Polignac, aux chanoines réguliers de l'abbaye de Pébrac.

Par son architecture et son décor sculpté et peint, l'église présente autant d'analogies avec l'église d'Ainay qu'avec la cathédrale du Puy. Elle s'apparente à Ainay parce que les voûtes des collatéraux sont presque aussi élevées que celles de la nef, et que la coupole de la croisée n'est guère plus haute. Ensuite un passage fait communiquer travée de chœur et absidioles. D'autre part les chapiteaux de la nef forment à l'entrée un programme identique à celui de la quatrième travée du Puy, et s'apparentent en même temps aux frises de l'abside d'Ainay; ils sont, plus sûrement que ceux du Puy, l'œuvre d'ateliers lyonnais. On y voit des vieillards aux mains voilées adorant l'Agneau, des hommes montrant du doigt des animaux, et des motifs végétaux inscrits dans des cercles de rubans entrelacés, identiques à ceux des frises de motifs superposés de l'abside d'Ainay.

Fait à remarquer : dans cette église on a voulu agrandir la vue sur l'abside en écartant les piliers supportant la coupole et on faillit alors compromettre la stabilité de l'édifice. Les fresques sont plus récentes, mais on y voit associés comme dans les absides coptes et comme à Ainay, le Christ entouré du tétramorphe et la Vierge — scènes mariales dans l'absidiole Sud, thème du Jugement dans l'abside proprement dite —, et on peut penser que déjà ces thèmes étaient réunis à ces emplacements à l'époque romane. Autre signe de l'influence copte, les chapiteaux de l'abside sont lotiformes.

POUILLY-LÈS-FEURS. *L'ÉGLISE SAINT-DIDIER EST MENTION-* **14** née au Cartulaire de Cluny dès 966, mais c'est seulement en 1333 que les visiteurs de l'Ordre y sont venus. Nous verrons un fait comparable à Rozier-Côtes-d'Aurec, preuve du peu d'importance que les moines clunisiens attachaient aux prieurés locaux.

Pouilly-lès-Feurs se trouve à la limite des terri-
toires concédés par l'archevêque de Lyon au comte de
Forez ; Feurs était la capitale romaine du Forez,
elle fut rasée par les Alamans. C'est avec Pommiers,
Champdieu, Saint-Rambert, une des plus importantes
églises du Forez. Sauf les collatéraux, toute l'église
est voûtée en berceau brisé, aussi bien les quatre travées
de la nef où la voûte n'est soutenue que par un seul doub-
leau, que les croisillons, le cul-de-four de l'abside
et la travée plus élevée qui la précède. La façade
présente un appareil en parement assez peu régu-
lier, tout juste équarri. C'est cependant une des
rares belles façades du Forez avec les quatre contre-
forts et les trois arcs de décharge qui la soutiennent.

Ensuite, si la plupart des églises foréziennes ne
présentent que des chapiteaux assez frustes, car
on n'a guère utilisé que le granit des carrières de
Moingt, par contre Pouilly a été assez riche pour
faire venir le très bon calcaire de Charlieu. Ce qui a
favorisé le transport de ce matériau, c'est peut-être
la proximité de la Loire qui passe à Feurs. Ce cal-
caire a été employé pour les chapiteaux sculptés encadr-
ant le portail sans tympan. On voit sur celui de
gauche, la donation des clefs à saint Pierre (malgré
la finesse de l'exécution, la clef est gigantesque et
barbare), et sur celui de droite, deux lions d'avertis-
tissement, le motif des deux lions se reproduit sur
des bas-reliefs encadrant le sommet du tympan.
L'association des lions d'interdit et de saint Pierre
vient sans doute de la vieille église Saint-Pierre de
Vienne où les lions placés à l'entrée avaient leur
légende au Moyen Age. Ce thème des lions a eu une
telle importance qu'on les retrouve de nouveau portant
le curieux bénitier qui date de la Renaissance.

15 ROSIÈRES. CETTE ÉGLISE DES-
SERVIE PAR UN ERMITE ÉTAIT
consacrée autrefois à saint Jean. On sait par un
texte datant de 937 que le prieuré dépendait du
Monastier, puis fut donné à Chamalières par un
vicomte de Polignac, avant son départ pour la
croisade en 1096. Elle possède un des plus beaux
chevets de la région, le reste de l'église ayant été
refait; l'abside circulaire à l'intérieur, présente
cinq pans à l'extérieur. Sur chaque pan s'ouvre
une fenêtre encadrée par une arcade diversement ornée, celle de l'Est de sphères, celle du
Midi de bâtons brisés. Cette différence est
certainement symbolique, car à l'Est, là où
l'arcade est ornée de sphères, on voit également, sur un chapiteau, saint Michel luttant
contre le dragon.

16 RIOTORD. CETTE ÉGLISE, DONT
LA NEF A ÉTÉ REFAITE, SE
signale surtout par les chapiteaux du carré du transept, d'un beau caractère. On y voit réunis le même
sujet qu'à Dunières, inspiré par le Nabuchodonosor
de Bourg-Argental, un curieux Daniel descendant la
tête la première dans la fosse aux lions, deux dragons
affrontés, imitation de tissus, des masques sortant
du feuillage, repris de l'art gallo-romain.

SAIL-SOUS-COUZAN. PRIEURÉ **17**
CLUNISIEN, A PROXIMITÉ DU
magnifique château des Lévis-Couzan, cette
église, qui a subi des réfections, appartenait au
type à trois nefs assez rare en Forez, mais ce plan
n'était pas primitif. C'est ce qui explique les
multiples colonnes qui ont été ajoutées après
coup pour assurer la stabilité. Les motifs d'entrelacs qui ornent les chapiteaux de ces colonnes
sont assez semblables à ceux de l'église de
Veauche, mais d'après Madame Piédanna leur
caractère plus fruste encore dénote une date
plus tardive. L'église comporte une très belle
coupole malheureusement cachée par un pla-
fond ; un passage singulièrement élevé fait
communiquer les travées précédant le chœur
et les absidioles.

SAINT-ÉTIENNE-LE-MOLARD. **18**
CE VILLAGE POSSÈDE UNE RE-
marquable croix en pierre, romane, à base pyramidale, comme les anciennes croix irlandaises, ornée
de sculptures sur les croisillons. L'iconographie en
est curieuse : au lieu de présenter le Crucifix, une
simple croix dans un cercle orne le bras vertical,
le soleil et la lune les bras transversaux, la Vierge
et saint Jean apparaissent au-dessous, en ronde-bosse.

SAINT-JULIEN-CHAPTEUIL. **19**
DANS UN SITE MAGNIFIQUE, SUR
une hauteur occupée autrefois par les Gaulois,
puis par les Romains (Capitolium = Chapteuil),
cette église très restaurée à des dates diverses,
sauf l'abside, présente de curieux chapiteaux :
certains à l'entrée de la nef, sont inspirés de
motifs mégalithiques ou gallo-romains, d'autres,
surtout dans l'abside, de motifs orientaux : ainsi
on retrouve en particulier les deux serpents
ailés se mordant la queue, motif de source égyp-
tienne que nous avons rencontré déjà au Monastier.

SAINT-MARCELLIN. *REMPLA-* **20**
ÇANT UNE ÉGLISE ANTÉ-
rieure datant de 984, l'église du XIIe siècle a gardé
de cette époque une façade et quatre travées. La
façade se signale par un portail à trois archivoltes
et un cordon en saillie à décor de dentures (du même
style que Champdieu et Joursey) et une large fenêtre
en plein cintre, couronnée par un linteau en bâtière
(comme à Saint-Rambert). Le clocher qui surmonte
cette façade, a remplacé le clocher roman de la croisée
et date du XVe siècle. On a voulu imiter les clo-
chers-porches de Saint-Rambert et de Champdieu.
Les statuts de saints (saint Marcellin, XVe siècle,
sainte Catherine, XVIIe siècle), sont très remarquables.

SAINT-MAURICE-DE-ROCHE. **21**
LE PRIEURÉ A ÉTÉ FONDÉ EN
1080 et dépendait de Chamalières ; l'église possède une coupole du début du XIe siècle et
présente un trait d'archaïsme architectural : trois

chapelles absidales en hémicycle - dont l'église de Beaulieu nous a montré déjà un exemple.

22 SAINT-PAULIEN. *LA COLLÉ-GIALE SAINT-GEORGES DE l'antique Revessio présentait comme l'église de Chamalières une abside rappelant le type auvergnat avec une série de chapelles en hémicycle, et, comme à Chamalières, il n'y a pas de déambulatoire, cela pour donner à l'abside sa pleine valeur : cette particularité frappe plus encore qu'à Chamalières car ici la nef est unique. Ses murs sont renforcés par des arcades latérales massives, et sa voûte est soutenue par des doubleaux en berceau brisé. A côté des réemplois de reliefs gallo-romains à l'extérieur, qui ont déjà été mentionnés, on notera que certains chapiteaux des chapelles absidales imitent littéralement l'entrelacs celtique; d'autres adoptent le motif des trois têtes de certaines stèles gallo-romaines; un dernier reproduit le chapiteau de Brioude représentant l'avare, mais de façon assez peu fidèle.*

23 SAINT-RAMBERT. DÈS 971, IL Y AVAIT DEUX ÉGLISES À OCCIA-cum, non loin des bords de la Loire, la chapelle Saint-Côme et l'église Saint-André, attachée à un prieuré dépendant de l'Ile Barbe. La dénomination actuelle de l'église et du village ont pour origine un transfert de reliques qui eut lieu en 1078, sous Guillaume III, comte de Lyon, les reliques de saint Rambert ayant été l'objet d'un vol pieux et prises dans un monastère du Bugey.

Une troisième église existait à Occiacum-Saint-Rambert, c'est la petite église Saint-Jean, au Nord de l'édifice actuel, qui devait servir de baptistère. De ce même côté de l'église, on peut voir une porte au linteau orné de lions, qui permettait de communiquer avec ce baptis-tère. Les deux parties les plus anciennes de l'église, commencées à la même époque comme à Pouilly-lès-Feurs, sont, d'une part le clocher-porche englobé plus tard dans la nef et les collatéraux, d'autre part l'abside, où l'on voit les communications habituelles avec les absidioles. Pour donner un surcroît de majesté à l'abside, les travées deviennent plus courtes en se rapprochant du chœur.

La partie la plus curieuse de l'église est le clocher-porche avec ses cippes réemployés, sa frise représentant des scènes bibliques, Adam et Ève, Visitation, Multiplication des pains, Adoration des Mages, alternant avec des imbrications et des sortes de chrismes dessinés avec des briques. La partie la plus belle de l'église est le clocher surmontant la coupole octogonale de la croisée, portée par des trompes : il comprend deux étages, le premier présentant des couples d'arcatures sur chaque face, le second quatre baies, deux à deux sous deux gables à double rampant.

24 SAINT-VICTOR-SUR-LOIRE. *LE PRIEURÉ DE SAINT-VICTOR A été donné à Conques entre 1087 et 1095. L'église, elle aussi dans un site remarquable, possède quelques chapiteaux cubiques dans la nef, seule partie romane avec les collatéraux : l'un représente une grossière Crucifixion, l'autre une scène de Baptême.*

25 VEAUCHE. *UN TEXTE INDIQUE LE DON DE CETTE ÉGLISE A Savigny en l'an 1000. Les curieux chapiteaux de la nef datent de cette époque. Ils représentent entre autres sujets l'Agneau sortant d'un motif de spires superposées, un aigle entre deux roues tournantes, un motif de S affrontés rappelant celui de la frise du Puy.*

LE PUY

Les tables des planches illustrant ce chapitre se trouvent aux pages 52 et 94.

Les monuments romans du Puy ne valent pas seulement par eux-mêmes, ils bénéficient plus encore d'une situation exceptionnelle. La cathédrale, Saint-Michel d'Aiguilhe, frappent autant par leurs qualités propres que par la manière dont ils s'intègrent dans le site.

Trop restaurée par Mallay et ses successeurs, la cathédrale ne peut manquer de décevoir. Il y faut pourtant savoir découvrir les fragments originels, les compléter en outre par l'inestimable collection du Musée Crozatier, ainsi que par les monuments qui l'entourent : cloître, baptistère Saint-Jean.

Saint-Michel d'Aiguilhe, au charme irrésistible, exige une ascension méritoire. Par elle revit quelque chose de la foi, de l'enthousiasme, de la générosité des pèlerins du Moyen-Age.

On aura garde d'oublier, au passage, l'exquise chapelle Saint-Clair.

Enfin, tout au long du parcours, la ville du Puy, si pittoresque, si vétuste encore, meublera d'exquise manière les interludes obligés d'une telle visite.

L'ÉGLISE ANGÉLIQUE

Les monuments romans du Puy, dont le plus célèbre et le plus vaste est la cathédrale, témoignent par leur nombre de la très ancienne renommée du pèlerinage, mais ce qui fait la grandeur inimitable du Puy, c'est avant tout un prestigieux décor qu'il faut contempler en pénétrant dans la ville par la route de Clermont-Ferrand : il faut admirer l'accord des masses architecturales avec les hauteurs qu'elles couronnent. On verra l'aspect presque identique que présentent de profil la chapelle d'Aiguilhe et la cathédrale, édifices si parfaitement proportionnés aux monts qui les portent (pl. 1).

Toutefois il y a une ombre au tableau : on ne saurait admettre que la grande statue de la Vierge, élevée au XIXe siècle sur le mont Corneille, et moins encore celle de saint Joseph à Espaly, ajoutent beaucoup à la beauté du cadre et embellissent la ville.

Autre sujet d'admiration, c'est la science relevant plus de l'art du peintre que de celui de l'architecte qui préside partout à l'accord des laves, des calcaires, des tuiles, spécialement dans le cloître célèbre, « le plus beau de la Chrétienté », d'après Émile Mâle, et dont le raffinement de couleurs évoque invinciblement l'Espagne Ommeïade.

L'étude des monuments du Puy commence obligatoirement par celle de la cathédrale; son histoire est ancienne et glorieuse et les pèlerins en foule venaient y vénérer la Vierge-reliquaire, célèbre dans toute la chrétienté et même dans le monde arabe (pl. 45).

Si la cathédrale s'harmonise si bien avec le cadre, c'est aussi qu'elle n'est pas une église isolée comme il en existe tant, mais qu'elle forme avec toute une série d'édifices un ensemble complexe, lentement aggloméré au cours des siècles : cloître, salle des morts, baptistère — c'est-à-dire l'église dite Saint-Jean-des-Fonts-baptismaux — salle capitulaire, prieuré. Certains malheureusement ont disparu, ainsi la tour Saint-Mayol, tour énorme de quatre étages du XIIᵉ siècle, qui défendait la cathédrale contre les entreprises des bourgeois et des seigneurs. Elle était reliée à l'église par le bâtiment des mâchicoulis, et l'architecte Mallay la détruisit, ainsi qu'une partie de ce dernier, en 1845. D'autres édifices n'ont plus rien d'ancien, par exemple l'Hôtel-Dieu, dit aussi la Charité. Tous ces bâtiments l'enserraient comme dans un écrin.

Mais pour se rendre compte du véritable aspect qu'offrait anciennement l'église au milieu de ce cadre, il faut se représenter en outre les multiples échoppes de toute nature se pressant sur les marches de la rue des Tables. Malgré leur disparition, le décor actuel reste évocateur, car églises et hôtels appartenant aux styles les plus divers qui se pressent autour de la cathédrale, ne paraissent jamais déplacés ; toujours certaines traditions romanes se reflètent au travers des styles divers, et il faut suivre toutes ces rues étonnantes donnant accès à la cathédrale, pour goûter la variété des points de vue que l'on peut avoir sur elle.

Malheureusement, il n'est presque aucun des monuments romans du Puy, qui ait été épargné, tant par les dévastations du temps et des hommes, que — ce qui est plus grave — par les reconstitutions agressives et souvent maladroites de nos contemporains.

Les unes et les autres se sont particulièrement acharnées sur la cathédrale. Cependant l'architecte Mallay, chargé le premier de sa restauration, s'est assez honorablement acquitté d'une tâche qui s'imposait car l'édifice menaçait ruines. Il remit à neuf le sommet du *clocher angélique,* la coupole surmontant le carré du transept, et le croisillon Sud, dont malheureusement il eut le tort de détruire les fresques. Il restaura les porches, refit la nef, sauf la troisième et la quatrième travées et la façade.

L'architecte Mimey, prenant la suite de Mallay en 1865, ne fit pas mieux, au contraire : il détruisit de fond en comble la partie la plus ancienne de l'église, reste de la première construction, le chevet, et le reconstruisit de façon non moins arbitraire. Entre 1855 et 1888, Petitgrand réédifia le clocher pyramidal situé au chevet, abattu à plusieurs reprises par la foudre, mais respecté par les révolutionnaires à cause du coq qui le surmontait. Il suivit, semble-t-il, les données originales.

Ces restaurations s'ajoutèrent aux transformations que l'église avait déjà subies au XVIIIe siècle. Avec une hardiesse qui nous confond, la nef, terminée par le chœur Saint-André, s'élevait littéralement au-dessus du vide. En effet c'est par un véritable tunnel passant sous la nef elle-même que les pèlerins y pénétraient. Ils accédaient ainsi, par une ouverture circulaire, directement « jusqu'au nombril de l'église », comme le dit l'un des historiographes de la cathédrale, Odo de Gissey (*Discours historiques de la très ancienne dévotion de Notre-Dame du Puy,* deuxième édition, Toulouse, 1627). Or au XVIIIe siècle, l'archevêque de Gallard, loué en cela par les contemporains, ferma par un mur la plus grande partie de ce passage souterrain et ouvrit le passage actuel qui ne pénètre pas si près du chœur. Enfin le XIXe siècle perça une entrée latérale sous ce même porche, qui permet une vue très séduisante sur le cloître.

Malgré les sévices qu'elle a subis, l'église reste l'un des plus beaux édifices du Midi de la France, et sans aucun doute le plus original. Elle se singularise d'abord par son architecture, sa façade ornée d'une mosaïque de pierres et comportant des clochers-arcades simulés tenant la place des tours jumelles — parti qui en général n'est adopté que pour les petites églises — (pl. 3), puis par ses coupoles contrebutées par les bas-côtés (pl. 16, 17).

Mais son intérêt principal réside dans son décor, mieux conservé que son architecture ; d'ailleurs pour les parties refaites nous avons heureusement un grand nombre de débris de sa sculpture primitive, très bien mis en valeur au Musée Crozatier, ainsi que des dessins des fresques disparues.

Ce n'est pas seulement pour sa beauté que la cathédrale mérite une visite approfondie, c'est aussi parce que son histoire est un chapitre de notre histoire nationale : il faut l'imaginer dans sa splendeur première quand la Vierge recevait la vénération enthousiaste des foules, des papes et des rois. Comme à Lourdes, la ferveur populaire et les miracles accomplis par la Vierge expliquaient l'amoncellement des béquilles des miraculés, les ex-voto, les tableaux dons de corporations. La dévotion des grands se manifestait par l'offrande de reliquaires somptueux, ou la création de chapelles adjointes au chevet, fait qui explique, s'il ne la justifie, la restauration radicale de Mimey.

La valeur des dons offerts à la Vierge-reliquaire par les grands personnages contraste avec l'obscurité de l'origine de son culte. Et de même l'ampleur de l'église définitive et son rayonnement contrastent avec la modestie du premier sanctuaire. La raison en est que le culte de la Vierge a été d'abord au Puy un culte populaire; c'est seulement plus tard que les grands se sont intéressés au Puy, surtout en raison des dangers que présentaient, à ses portes même et peut-être dans son sein, les hérésies des cathares albigeois ou des vaudois de la vallée du Rhône.

Sur un plan général, l'ampleur de la crise cathare se mesure aussi à l'importance de la réaction cistercienne qui, voulant épurer le culte de la Vierge, a essayé d'exclure de l'église romane les monstres qui y étaient si communs et que l'on rencontre en grand nombre à la cathédrale et plus encore dans le cloître. Les églises cisterciennes sont nombreuses dans les environs du Puy et en Forez.

Sur la foi du fameux texte de saint Bernard, on admet en général que ces monstres n'avaient qu'une portée décorative parce que saint Bernard parle de « stupides inutilités ». Mais si l'on prend à la lettre cette expression, on s'étonnera à la fois de la violence du ton et de ce que saint Bernard dit aussi, un peu plus loin, que « les moines passaient des heures à les contempler », ce qui ne peut se comprendre, si ces monstres n'étaient pas doués de signification.

En fait, si saint Bernard se montre si violent, c'est au contraire parce que ces animaux et ces monstres étaient riches de symbolismes nombreux, en relation avec d'antiques traditions. Dans le Sud-Ouest, leur symbolisme s'explique en partie si on le met en relation avec la pensée cathare, venue d'Orient.

Des influences orientales sont évidentes au Puy. Nous y retrouvons les thèmes principaux de l'art copte : allégories inscrites dans des cercles végétaux ou portant des sceptres floraux, monstres semi-humains signifiant la dégradation du pécheur jusqu'au niveau de l'animal, idée des étapes apparaissant par le groupement tripartite des sujets.

Ces sujets s'éclairent souvent par des textes bibliques et patristiques et ils se présentent ici de façon plus claire que dans les grands édifices du Sud-Ouest. Et surtout ils s'expliquent d'autant mieux qu'ils sont liés les uns aux autres, dans les

*Saint-Michel. Détail de la fresque du XI*e *siècle, située à la tribune du transept Nord de la cathédrale.*

L'ÉGLISE ANGÉLIQUE 37

différentes parties de l'édifice, par une savante disposition qui s'harmonise chaque fois avec la forme architecturale qu'ils décorent : disposition *en hauteur* au clocher pyramidal, *giratoire* au porche du For et au cloître, *en profondeur* à l'entrée des pèlerins, etc...

HISTOIRE

NOTES HISTORIQUES SUR LA CATHÉDRALE

*Débris lapidaires et
origines légendaires*

Avant d'aborder l'histoire de la cathédrale il faut faire une place aux légendes rapportées par les anciens historiographes de la Vierge du Puy, car les faits qu'elles mentionnent apparaissent vraisemblables si l'on examine les débris lapidaires encastrés au chevet de l'église.

Sous le porche du For, par où on entre dans cette partie de l'église, au Midi (pl. 14), se trouve un linteau que l'on peut dater du vi^e siècle, couronnant une porte fermée jadis par un mur léger; d'après G. Paul elle ne s'ouvrait que pour les dignitaires ecclésiastiques et surtout le Souverain Pontife : elle est appelée de ce fait *porte papale*.

Ce linteau est curieux à plus d'un titre : d'abord par sa forme, rappelant le fronton antique ; c'est le premier linteau dit *en bâtière,* forme courante en Auvergne à l'époque romane, et dont nous trouvons des exemples au Puy même — ainsi au porche Saint-Jean — et à la *Porte des lions* de Saint-Rambert.

Ensuite il est orné, sur sa face visible, de signes chrétiens : au centre un chrisme entre l'Alpha et l'Oméga, dominant une inscription chrétienne, SCUTARI PAPA VIVE DEO, c'est-à-dire, selon l'explication de M. Roger Gounot (*Collections lapidaires du Musée Crozatier du Puy-en-Velay*, p. 105) : « Vivez en Dieu, Scutaire, père de la Patrie »; l'inscription PAPA, ajoutée après coup, signifie, avec le signe d'abréviation qui la surmonte, le titre que reçut saint Scutaire, l'un des premiers évêques. Ainsi

d'après lui, le nom de porte papale résulterait d'une erreur.

Sur l'autre face du linteau, on pouvait voir, avant qu'il ne fut encastré dans le mur de l'église, une inscription païenne du type de celles que l'on rencontre dans la région lyonnaise, dédiée à Auguste et à un dieu oriental (ADIDONI).

Enfin, fait non moins intéressant, l'archivolte de cette porte s'orne d'une frise qui se poursuit au chevet de l'église (pl. 11), et qui paraît avoir une origine celtique.

L'inscription païenne prouve la présence d'orientaux au Puy, ou bien à Saint-Paulien — si l'on admet l'opinion d'après laquelle une partie de ces débris lapidaires aurait été rapportée de la capitale romaine de *Revessio* (Saint-Paulien), située seulement à 6 kilomètres du Puy. D'autres pierres, encastrées au chevet, confirment cette présence d'orientaux : ce sont en particulier les bas-reliefs de facture alexandrine représentant des *amours jouant au latroncule* — un thème de banquet funéraire —, un *Hercule terrassé par des amours,* enfin les quatre blocs sculptés encastrés dans la partie du chevet épargnée par Mimey et qui se complètent par les huit blocs, qu'on peut voir au musée. Le sujet central de la frise est un thème de chasse : des lions terrassent un cerf, ou poursuivent des onagres, des cerfs et des biches fuyant dans la forêt; on y voit aussi des monstres empruntés au bestiaire oriental : chimère, griffon, aigle (pl. 11).

Que nous dit la légende ? Elle nous raconte la guérison d'une femme sur une dalle phonolithique, la *pierre des fièvres ;* on peut voir cette pierre à l'entrée principale de l'église, qui au

39

Moyen-Age avait toujours valeur miraculeuse. Cette femme reçut en rêve l'ordre céleste d'avertir l'évêque de Saint-Paulien, saint Georges, d'avoir à construire un sanctuaire sur le *mont Anis,* ancien nom du Puy, et un cerf, apparu miraculeusement, aurait tracé dans la neige les limites du futur sanctuaire. La légende mentionne encore de « saints vieillards vêtus de blanc » qui auraient porté à Vosy, premier évêque du Puy, et à l'architecte Scutaire son futur successeur, la première relique de la Vierge.

Or un texte de Grégoire de Tours nous apprend que la translation de l'évêché au Puy a pu se produire aux environs de 593, et le linteau portant le nom de Scutaire confirme par sa date le récit de la légende, indiquant qu'au vie siècle le culte chrétien a dû remplacer des cultes païens.

Parmi les cultes abolis alors, on doit penser aux cultes celtiques : en effet la frise de S est celtique, et une inscription encastrée au chevet mentionne un certain Guttvater, prêtre gaulois. De même la légende parle d'un cerf, animal sacré chez les Gaulois, et la *pierre des fièvres,* d'après les anciens auteurs, provenait d'un dolmen. Le souvenir des cultes celtiques précédant celui de la Vierge a été très durable au Puy puisque, au xviie siècle encore, en se rendant en procession à la cathédrale lors de la fête de la *dédicace,* on cassait des cornes de terre devant une effigie de dieu gaulois, afin de commémorer l'abolition du culte païen.

Mais le culte chrétien a dû lutter aussi avec les cultes orientaux et les termes de la légende nous prouvent que les premiers chrétiens du Puy devaient être eux-mêmes des orientaux. Nous voyons mentionnés parmi les premiers évêques du Puy des noms franchement orientaux, certains évoquant ceux des ascètes de la Thébaïde, Georges, Vosy, Macaire. D'autre part, la légende qui parle de « saints vieillards vêtus de blanc » précise que ces vieillards venaient du Sud, mais non de Rome. On doit penser à des ermites, si nombreux dans toute la vallée du Rhône jusqu'au Jura, originaires des pépinières monastiques des Iles de Lérins. Ceux-ci ont donné en particulier des évêques à Lyon et à Vienne, et peuplé au viie siècle l'abbaye du Monastier, voisine du Puy. Les ermites de Lérins, en effet, étaient restés en rapport avec l'Égypte copte.

La nature des thèmes représentés sur la frise rend cette hypothèse vraisemblable. Il existe au musée lapidaire de Vienne une frise tout à fait comparable à celle du Puy, qui mélange aussi aux thèmes de chasse et de lutte d'animaux le bestiaire oriental comportant des sphinx, et malgré leur apparence païenne, ces thèmes avaient un sens chrétien, comme les thèmes représentés sur tant de sarcophages à la même époque.

Mais surtout il faut comparer la frise du Puy à un sarcophage du Musée d'Arles et de Déols

représentant dans un sens allégorique une chasse au cerf, thème qui sera repris avec une très grande exactitude sur le tympan roman de Saint-Ursin de Bourges. Nous aurons à revenir plus longuement, à propos du cancel de Pommiers, sur le sens allégorique de ces scènes de chasse et sur leur source orientale; le cerf ou la gazelle étant l'image de l'âme aux prises avec les tentations du monde.

Origines historiques

Malgré les indications de la légende, rien n'indique qu'un sanctuaire ait pu s'élever si tôt sur le mont Anis, sauf peut-être une simple chapelle, ni qu'un pèlerinage suivi se soit institué avant le xie siècle.

Cependant les anciens auteurs faisaient remonter plus haut les premiers événements historiques importants concernant le Puy, et, s'ils sont vrais, ils témoigneraient déjà en faveur de l'intérêt des grands pour la ville naissante, et prouveraient en même temps le rôle des influences lointaines.

Ainsi, d'après les auteurs de la *Gallia Christiana,* Charlemagne aurait institué une école de *choriers pauvres* fuyant les Saxons et les Lombards, mise plus tard sous l'invocation de saint Mayol (saint Mayeul, abbé de Cluny).

Dès cette époque se seraient institués également des rapports entre les choriers vellaves et l'évêché de Gérone en Espagne; il en résultera, comme l'a montré M. Rocher, la suzeraineté du Puy sur la Bigorre et sur Lourdes. Ainsi dès l'aurore de l'histoire chrétienne un lien a uni les deux cités de Marie. Des plaques d'époque carolingienne ornées d'entrelacs, qu'on peut voir au musée, apportent un surcroît de vraisemblance à ces faits.

D'après la relation du *Pèlerin de Compostelle,* « teutons et allemands » passaient au Puy pour aller en Espagne et ce serait la prédication enflammée d'un moine allemand, saint Abbon de Thuringe, qui aurait provoqué l'afflux des populations, surtout germaniques, au Puy et créé le jubilé, à l'approche de l'an mil. Mais les textes contemporains nous prouvent aussi l'importance de l'abbaye voisine du Monastier qui, en 955, se glorifie de posséder les reliques de saint Fortunat. De même l'important prieuré de Chamalières, dépendance du Monastier, se pose en rival du Puy, car il possède les reliques de saint Gilles d'Arles et le Saint Clou, don de Charlemagne.

En 1051, l'évêque du Puy est honoré du pallium, et le premier seigneur d'importance qui vienne au Puy est Raymond de Saint-Gilles. D'après Ahmad Fikry, c'est à partir de 1077 que commence un pèlerinage suivi. En 1095, le Pape Urbain II nomme l'évêque du Puy, Adhémar de Monteil, ancien chevalier arlésien, comme chef de la première croisade.

40

Le pape voulait d'abord assembler les croisés au Puy, et si Clermont eut finalement la préférence, c'est en raison de la facilité plus grande d'y réunir des foules.

Chantiers successifs

Le premier sanctuaire est contemporain de ces événements. En effet, les fouilles faites à l'occasion des travaux de réfection de Mimey en 1865-1866 avaient mis à jour les ruines d'un sanctuaire de forme rectangulaire, présentant une abside à sept pans extérieurs, portant chacun une arcade au cintre surhaussé et sans moulure, et cet édifice doit dater de la deuxième moitié du XIe siècle. A l'intérieur de ces arcades, on avait réemployé les frises de S affrontés et les bas-reliefs sculptés d'animaux, en les complétant au-dessous par une alternance de pierres blanches et noires. Les colonnes supportant les arcs provenaient d'un monument gallo-romain.

Les travaux qui élèveront la vaste église à coupoles que nous connaissons commenceront à la fin du XIe siècle et se poursuivront en plusieurs étapes; le plus gros ne sera réalisé qu'un siècle plus tard. Ces travaux laissent subsister l'ancienne église servant de chevet; on adjoint d'abord le clocher angélique, le transept et les deux premières travées en partant du chœur. Dans une deuxième campagne, on pousse le vaisseau en direction de l'Ouest, en ajoutant les troisième et quatrième travées, en même temps que l'on accroche un porche à la montagne. Un quart de siècle plus tard, dans une dernière étape, on s'aventure complètement sur le vide en y jetant des travées portées par des piliers élevés. A la fin du XIIe siècle le porche du For est adjoint au chevet, mais sans la chapelle qui le surmonte : celle-ci date du XIVe siècle. En 1427, à la suite d'un tremblement de terre, on dut flanquer la façade d'un énorme arc-boutant qui subsista jusqu'au début du XIXe siècle, ce qui n'empêcha pas une dangereuse lézarde de se produire avant le commencement des travaux de Mallay. Ces constructions considérables et souvent imprudentes s'expliquent par les foules immenses qui se sont pressées au Puy.

La Vierge du Puy a joui d'une grande faveur dans tout le Midi, surtout dans le Sud-Ouest, mais la vogue de son culte et de son pèlerinage n'aurait pas été si grande sans une politique suivie des papes et des rois. Si les rois, parfois même le comte de Forez, ont soutenu l'évêque toujours menacé, c'est pour contrebalancer la puissance envahissante des dauphins du Viennois et de la noblesse auvergnate et vellave; l'importance du sanctuaire est liée pour une bonne part à la gravité de la crise causée dans le Midi par l'hérésie cathare et à la volonté des papes et des rois de rétablir l'ordre.

La vie au Puy est celle que l'on mène dans le Sud-Ouest. Ainsi une cour poétique s'y tenait à l'occasion de Notre-Dame d'Août à l'instar de celle de Toulouse et *porter l'épervier au Puy* était proverbial dans tout le Sud-Ouest. Avec cette culture, le catharisme a pu pénétrer au Puy, et le troubadour P. Cardinal a été hérétique.

C'est à cause du prestige dont ce haut-lieu a joui en Languedoc que les papes l'ont choisi pour lutter contre l'hérésie menaçante : deux conciles s'y sont tenus dans ce but, en 1030 et 1181, et entre ces deux dates, les papes n'ont cessé d'y venir, plus qu'à aucun moment de son histoire : ainsi Pascal II, Gélase II, Calixte II, Innocent II, enfin Alexandre III chassé par l'antipape Octavien.

Il en est de même des rois. Louis VII est venu à deux reprises au Puy où il promulguera un décret pour assurer la sécurité des voies de pèlerinage. Mais surtout, preuve éminente de l'attachement des rois à la cité sainte, c'est saint Louis qui, d'après la tradition populaire, donna au Puy la fameuse Vierge-reliquaire, don du Soudan d'Égypte; elle prit la place d'une ancienne statue laissée un temps « derrière l'autel ». Brûlée en 1794 par les révolutionnaires, nous n'avons plus aucune certitude ni sur son véritable aspect — sauf le « portrait véridique » qu'en a laissé un géologue, Faugeas de Saint-Fond (*Recherches sur les volcans éteints du Velay et du Vivarais,* 1778) — ni sur son origine réelle.

Au plus fort de la crise albigeoise, un cistercien est envoyé au Puy pour lutter contre l'hérésie, et sous Alphonse de Poitiers, l'église Saint-Laurent sert d'état-major aux dominicains et saint Dominique lui-même y serait venu.

Des faveurs considérables sont accordées aux pèlerins par les papes Innocent IV, Alexandre IV, Clément IV en particulier : ce dernier porte à 365 le nombre des jours d'indulgence. Au XVIIIe siècle, Pie VI attachera une indulgence plénière à toute visite de la cathédrale du Puy.

C'est surtout à l'occasion des jubilés que la faveur populaire atteint à son comble; à chaque fois la foule est si dense que des pèlerins sont écrasés, si bien que l'on demandera périodiquement à la cour de Rome d'allonger la période jubilaire. C'est le cas des jubilés de 1065, 1155, 1160, et Juvénal des Ursins nous parle à propos du jubilé de 1407, de deux cents personnes écrasées sous ses yeux.

Les rois ne cessant d'accorder leurs faveurs à la cathédrale, Le Puy se trouve de plus en plus mêlé à notre histoire nationale. Philippe-le-Hardi donne à l'église une croix en vermeil. Philippe-le-Bel lui offre à son tour un calice d'or, à l'occasion d'un conseil qu'il tînt au Puy et au cours duquel il fit un paréage avec l'évêque. Du Guesclin passe au Puy juste avant sa mort, et par faveur exceptionnelle, ses viscères sont déposés dans l'église Saint-Laurent. On verra encore saint Vincent Ferrier y prêcher, Yolande de Navarre, reine de Naples, et Charles VII y venir en pèlerins, sainte Colette y fonder elle-même un couvent, et le jubilé le plus fervent sera celui de 1429 auquel participera Jeanne Romée, mère de sainte Jeanne d'Arc. On pria pour le salut du royaume et comme le dit très justement Hanoteaux, il semble qu' « à cette occasion, la Vierge des lys et la Royauté des lys, ces deux images soient unies dans l'enthousiasme des foules ». On sait que Jeanne d'Arc vénérait spécialement saint Michel et portait sur son étendard l'image de l'Annonciation du jubilé ponot. Enfin Louis XI vint lui aussi en pèlerinage au Puy et offrit pour abriter la statue de la Vierge une niche en or, *la Chadairaïta*.

VISITE

COMMENT VISITER LA CATHÉDRALE DU PUY

Influence de la cathédrale

Malgré les réfections qu'elle a subies, la cathédrale du Puy mérite une visite approfondie. Cependant ses restaurations trop profondes nous conduiront à ne pas tellement insister sur son architecture.

Celle-ci, comme on le dit en général, a un caractère unique. E. Mâle note qu'elle a été assez peu imitée. Parmi ces imitations, il y a lieu d'indiquer cependant la curieuse chapelle de Sainte-Marie-des-Chazes; elle comporte un clocher pyramidal, et la tradition populaire indique, ce qui est vraisemblable, que des ouvriers du Puy l'ont bâtie. Près de la vallée du Rhône on peut citer également l'église de Champagne (Ardèche). Il faut encore mentionner la cathédrale de Valence où des ouvriers ponots ont été appelés par Gellin de Valentinois. Son plan est identique à celui des grandes églises de la Haute-Loire, son clocher est semblable à celui du Puy; elle met également en valeur l'influence copte, car son portail imitait avec exactitude les scènes peintes dans les catacombes d'Alexandrie. Rappelons enfin l'église de Saint-Hilaire-le-Grand à Poitiers, qui comporte un même type de voûtement dans la nef principale : ce fait s'expliquerait par un transfert de reliques (abbé Achard).

Cependant si les grands édifices ont été en général assez peu imités, c'est que seuls les grands chantiers, dotés de puissants moyens, pouvaient résoudre de difficiles problèmes d'architecture que, dans les petits chantiers, on ne pouvait se poser. C'est ce qui explique que les églises imitant le mieux l'architecture du Puy, Poitiers et Valence, soient lointaines.

Mais généralement, dans les grands édifices, on est frappé par les formes neuves et hardies : ce n'est pas le cas au Puy. En effet l'architecture de la cathédrale, avec sa façade couronnée de clochers-arcades simulés, ses coupoles peu élevées et portées par d'épais piliers, son plan d'origine orientale, fait plutôt preuve d'archaïsme et attire plutôt par son étrangeté. Il en est de même de la sculpture, et les motifs qui décorent les piliers de la quatrième travée, se dégageant à peine de la corbeille, rappellent plutôt un décor peint transposé.

En fait ce qui mérite surtout l'admiration dans la cathédrale, ce n'est pas tant la beauté de la facture des œuvres peintes et sculptées que leur iconographie : chaque sujet, chaque détail a sa signification, et dans les diverses parties de l'édifice, les sujets forment des suites cohérentes parfaitement adaptées à la forme architecturale qu'ils décorent. Par exemple, si l'on voit les apôtres de la quatrième travée et les ouvriers représentés en atlantes, comme s'ils portaient respectivement soit la coupole, soit le clocher, c'est que les premiers symbolisent l'Église du Seigneur, et que les autres ont contribué à l'édification de la cathédrale.

Et en fait, si l'architecture de la cathédrale n'a été qu'assez peu imitée, il n'en a pas été de même de son décor peint et sculpté, et cela à des dates diverses. On peut même penser que, transposé en sculpture, c'est ce décor qui a servi de modèle à la disposition des sujets dans les églises auvergnates. Ainsi le linteau en bâtière du For se retrouvera fréquemment en Auvergne,

43

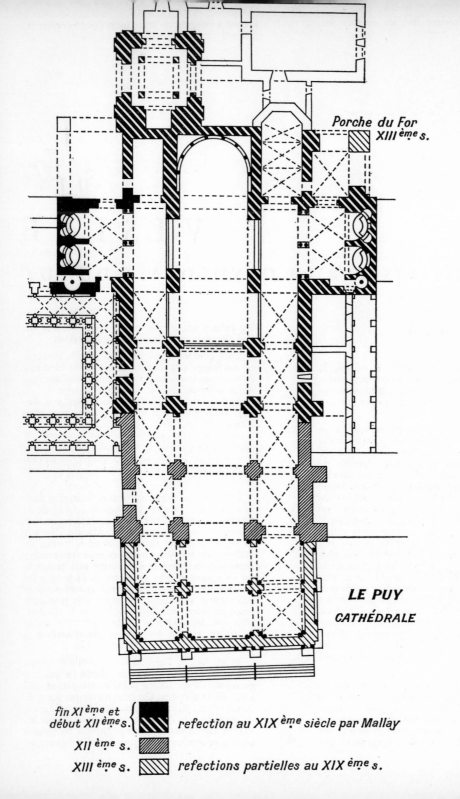

Porche du For
XIII ème s.

LE PUY
CATHÉDRALE

fin XI ème et
début XII ème s. } [black] refection au XIX ème siècle par Mallay

XII ème s. [hatched]

XIII ème s. [hatched] refections partielles au XIX ème s.

et le thème d'une fresque absidale du Puy, les Saintes Femmes au tombeau (pl. 19, 20), est reproduit souvent sur l'un des chapiteaux absidaux des églises auvergnates. Par ailleurs, le thème du double rinceau du For qui a divers antécédents dans la région, se retrouve dans toute la vallée du Rhône et jusqu'en Italie. D'autre part, on voit des imitations de la sculpture du Puy à Vissac à la fin du XIIe siècle, sur les stalles de la Chaise-Dieu au XVIe siècle, à Saint-Jean-de-Nay au XVIIe siècle, au clocher d'Araules reconstruit à l'époque moderne. Et dans tous ces ensembles, on peut parfaitement se rendre compte que l'enchaînement des sujets, tel qu'il apparaît dans la cathédrale, se reproduit fidèlement, preuve qu'il n'a jamais cessé d'être compris.

Disposition des sujets dans la cathédrale

Nous avons déjà indiqué les grandes lignes de la disposition des sujets dans l'église romane, mais comme il n'est possible de faire des généralisations absolues, et que chaque édifice a, en fait, *son* organisation, il est nécessaire de revenir sur ce sujet pour montrer l'originalité du Puy.

On sait que, dans l'église byzantine, l'organisation est simple, car les thèmes, fresques et mosaïques intérieures, se groupent autour d'une coupole unique dont le centre présente l'image du Christ Pantocrator. De plan basilical, l'église d'Occident a tendance a être *double,* et certaines basiliques carolingiennes comportent même parfois, à l'image de certaines églises coptes et africaines, deux massifs opposés, et même deux chœurs. Cette division s'explique par la distinction entre l'église réservée aux clercs, le chœur, et l'église accueillant le peuple chrétien, la nef. Cette distinction est marquée dans l'église primitive par la présence d'un cancel, plus tard d'un jubé. L'un et l'autre ont existé successivement dans la cathédrale. La division en deux parties était très nette au Puy : au *chœur des chanoines* s'opposait, à l'Ouest, un *chœur Saint-André,* qui devait primitivement être l'église populaire.

En outre, des programmes distincts se trouvent dans le chœur et dans la nef. Près du chœur, au porche du For, il s'agit d'un programme savant, s'adressant aux clercs, alors que l'ensemble des thèmes des cinquième et quatrième travées présente un sermon moral s'adressant à la foule. Les thèmes des tribunes contiennent de plus savantes indications typologiques que ceux de l'entrée des pèlerins, *la porte dorée,* du côté de l'entrée principale.

Par ailleurs, la basilique byzantine imite, par son plan centré et par son décor, la Cité Sainte de l'Apocalypse. En relation avec le culte aérien de saint Michel et des archanges, l'église carolin-

gienne a imaginé un autre parti pour évoquer la cité céleste, celui des chapelles-hautes, logées dans les tours, parfois situées aux quatre angles de l'édifice. A l'époque romane les églises bourguignonnes ont souvent encore une *chapelle-haute Saint-Michel* et les plus nombreuses chapelles-hautes, ornées de fresques, se trouvent dans le bassin Rhône-Loire. Il y en avait plusieurs à la cathédrale ; en effet, outre la tribune Nord ornée de la fresque gigantesque représentant saint Michel (pl. 18), vraie *chapelle-haute Saint-Michel,* en façade, deux chapelles étaient dédiées respectivement l'une à saint Michel, l'autre à saint Gabriel. De nombreux thèmes évoquent l'Apocalypse : l'Agneau de l'Apocalypse est deux fois représenté, en façade (pl. 5) et dans la nef, et le programme du clocher a, comme on va le voir, un sens apocalyptique. Seul, le Sud n'est pas consacré à l'Apocalypse, fait qui rapproche l'organisation des thèmes du Puy de celle qu'on trouve dans les églises espagnoles.

Mais la différence essentielle qui sépare l'église d'Occident de l'église byzantine, c'est la présence de sujets situés soit à l'extérieur de l'édifice, soit dans le narthex. Ainsi à la cathédrale, les thèmes sont très nombreux aux entrées.

Les trois entrées

Les pèlerins pénétrant par la porte dorée, entraient « par le nombril de l'église et en sortaient par les deux oreilles », nous dit Odo de Gissey. Mais ces deux oreilles étaient également des entrées. L'une, située au Sud-Est, du côté de l'évêché moderne, était celle des ecclésiastiques, car une sorte de porche y abrite la porte papale, dont nous avons déjà parlé, et un portail qui leur était réservé. L'autre au Nord-Est, du côté du baptistère, était réservée aux rois et aux princes, au dauphin de Viennois et aux gouverneurs de la province de Languedoc. Chacune de ces entrées est ornée d'un programme iconographique différent, s'adressant soit aux fidèles, soit aux clercs, soit aux grands de ce monde. Ces programmes se complètent par ceux de la nef, des croisillons et tribunes, enfin du clocher.

Porte dorée

Le plus riche programme apparaît ici, et il présente aux pèlerins, avec clarté et ordre, ce que la Bible contient d'essentiel. En effet, le peuple était encore illettré et seules des images pouvaient lui faire comprendre les enseignements bibliques.

Malgré la fermeture du tunnel qu'a réalisée l'évêque de Gallard, le grand porche s'étend encore sous la moitié de l'église. Il comprend trois travées, deux travées ouvertes se présentant avec nef et bas-côtés, la troisième fermée, et dont les bas-côtés sont convertis en chapelles : celles-ci, maintenant désaffectées, étaient dédiées autrefois à saint Martin et à saint Gilles. Neuf degrés séparent la première de la seconde travée, onze degrés la seconde de la troisième. A la septième marche de ce deuxième palier, une inscription en latin interdit au criminel de franchir le seuil, car, dit-elle, la reine du Ciel veut un culte exempt de toute souillure. C'est au fond de cette travée qu'est disposée sur un piédestal la fameuse *pierre des fièvres* : d'abord placée « ou my des clercs », au pied de l'autel Notre-Dame, elle avait dû être déplacée au-delà du chœur « devant l'affluence des malades qui s'y couchaient surtout dans la nuit du vendredi au samedi et en étaient grandement soulagés ».

Les deux premières travées ont été refaites en 1339. Elles sont voûtées d'ogives. La forme des ogives, l'aspect du feuillage des culots, le style de la Vierge à l'Enfant de la clef de voûte, et des animaux évangéliques des culots des formerets, indiquent ce siècle.

Plus intéressant est le décor de la troisième travée. Il comporte d'abord des portes romanes, en bois sculpté, disposées à l'entrée des deux chapelles, et d'autre part sur les murs de la travée centrale fermée, début du tunnel primitif, des fresques murales imitées de l'art byzantin.

L'une des portes, celle du Sud, malheureusement assez endommagée à la partie inférieure, présente de bas en haut, la résurrection de Lazare, les Rameaux, le baiser de Judas, les Saintes Femmes au tombeau, la Crucifixion, la Pentecôte. La seconde, au Nord, plus dégradée encore, décrit le cycle de l'Enfance : elle comporte en particulier la Nativité, l'adoration des Mages, le massacre des Innocents, l'Annonciation (pl. 13).

Un peu plus loin, les sujets représentés sur les fresques ont un sens glorieux, mais on trouve de la même façon, une scène de la fin de la vie du Christ, la Transfiguration, une scène du début, la Vierge en majesté portant l'Enfant.

Si, sur les fresques et les portes, la Vierge de la Nativité, de l'Annonciation, ou encore la Vierge glorieuse est associée aux épreuves ou au triomphe du Christ, c'est que l'iconographie est conçue pour les pèlerins venant en foule assister au jubilé qui a lieu chaque fois que l'Annonciation coïncide avec le Vendredi-Saint.

Dans ces deux ensembles iconographiques se révèlent des influences lointaines. En effet, tout d'abord les portes présentent un cadre orné d'inscriptions en caractères léonins, comportant d'une part la signature probable de l'artiste PETRUS, d'autre part une citation coufique MA CHALLAH (« voilà ce qu'a voulu Dieu ») : or ces caractères imitent assez bien

l'écriture arabe. Nous nous rallions à l'opinion de M. A. Fikry (L'*Art roman du Puy et les influences islamiques,* Paris, 1934), qui y voit l'œuvre d'un arabe, alors que d'après G. Marçais, il s'agirait d'une simple imitation ornementale des caractères arabes.

Quant aux fresques, non seulement leur facture est byzantine — la scène représentant la Transfiguration obéit strictement aux règles du *guide de la peinture* byzantin — mais même l'organisation des thèmes dans la travée du porche fermé n'est pas sans rappeler celle qu'on pouvait admirer dans l'église byzantine.

On voit en effet sur une voussure d'une arcade un Christ bénissant semblable au Pantocrator des coupoles. D'autre part sur les retours de la muraille sont peints, au Sud, côté de la Transfiguration, deux diacres, saint Étienne et saint Laurent, au Nord, au-dessus de la Vierge en majesté, deux prophètes vus à mi-corps, Isaïe et saint Jean-Baptiste. Or, de part et d'autre de l'abside byzantine, consacrée à la Vierge glorieuse, on trouvait deux absidioles : l'une dite le *Diaconicon,* consacrée aux diacres, l'autre dite la *Prothèsis,* consacrée aux précurseurs et spécialement à saint Jean-Baptiste. En outre, si Isaïe est associé à la Vierge, c'est qu'il a prédit dans un texte célèbre la conception virginale.

Ancien aspect intérieur de l'église

A l'intérieur de l'église, le peuple des pèlerins ne disposait que d'une place limitée. Celle-ci était formée seulement par les bas-côtés et par la partie de la nef comprise, d'une part entre le chœur des chanoines — fermé par un jubé maintenant disparu, dont faisait partie l'actuelle chaire à prêcher —, et d'autre part le *chœur Saint-André.* D'après Odo de Gissey, ce chœur était même « entièrement clos de murs et revêtu d'une peinture de grisailles, non trop ancienne, figurant l'histoire de ce bâtiment et de la Sainte Image qui y repose ».

Mais cette fermeture du *chœur Saint-André* n'était pas primitive, comme du reste l'indique le texte lui-même : ce chœur devait être la partie de l'église réservée d'abord aux pèlerins. En effet, on avait de nouveau appelé *chapelle Saint-André,* la chapelle sise près de l'ouverture circulaire, d'où le peuple pouvait contempler la Sainte Image : or, en Forez et en Velay, saint André, apôtre de l'Orient, est le saint populaire par excellence.

D'ailleurs si les pèlerins ne disposaient que d'un espace réduit, c'est que l'intérieur de l'église n'avait cessé de s'encombrer d'ex-voto, de béquilles. D'autre part pour abriter les dons des rois et des grands autour du chœur et dans l'église, les chapelles n'avaient cessé de se multiplier.

Le carré du transept refait par Mimey, assez librement, présente d'abord des piliers carrés à colonnes engagées ou dégagées, puis au-dessus quatre piles rectangulaires portant une tour octogonale surmontée d'une coupole. A la place de cette dernière, il y avait autrefois, d'après le Frère Théodore (Bochard de Larron de Champigny, dit le Frère Théodore : *Histoire de l'Église angélique de Notre-Dame du Puy,* Le Puy, 1693), une tour-lanterne ouverte portant le *petit campanier.* Celui-ci abritait les cloches ; il fut décrit par Médicis au xvie siècle (*Chroniques,* éditées au Puy, 1869-74).

Toutes les coupoles de la nef sont octogonales, appuyées dans les angles sur des trompes en cul-de-four (pl. 15, 16, 17). Les première et deuxième travées (en comptant à partir du chœur) font partie du premier chantier, comme le croisillon et la tribune Nord. Elles sont respectivement à 19, 20 et 19 m du sol. Les piliers de la deuxième travée supportant les arcs latéraux présentent, portée par des dalles, une petite niche de 1 m 85 de hauteur.

Les troisième et quatrième travées, beaucoup plus élégantes, n'ont été que peu remaniées, et l'arc brisé apparaît. Les coupoles que nous rencontrons maintenant reposent sur huit arcs soutenus par vingt-quatre colonnettes jumelles qui s'appuient elles-mêmes sur une corniche surmontant les arcades aveugles (pl. 15) : ce sont celles qui imitent le mieux les coupoles de la croisée du Couvent rouge et du Couvent blanc à Assouan, rapprochement mis en valeur par E. Mâle.

Les cinquième et sixième travées ont été refaites par Mallay. Les traces de reprises sont nombreuses et elles montrent que la construction a subi un arrêt. Les colonnes sont de plan cruciforme, tandis qu'aux bas-côtés de la cinquième travée, on a appliqué sous la voûte d'arêtes, des clefs pendantes des xve et xvie siècles.

Frise sculptée de la façade et chapiteaux de la nef

Frise de la façade et groupes de chapiteaux entre les quatrième et cinquième travées présentent à la fois des sujets apocalyptiques et l'image des vices à proscrire, représentés sous des traits animaux, car, comme le dit saint Bernard, le pécheur est réduit à l'état de bête, « *quasi bestiis* ».

Au centre de la première, l'Agneau (pl. 5) porté par deux anges est entouré des deux côtés par un homme vu à mi-corps s'agrippant au feuillage, ensuite par un second personnage à tête animale.

Le premier personnage représente le luxurieux, car le feuillage à quoi il s'accroche, symbolise les forces de fécondité, comme il apparaît dans de nombreux ensembles romans. Le second est au contraire celui qui a péché par l'esprit : c'est par la tête qu'il se transforme en bête. L'association de ces deux formes primordiales du péché est aussi très fréquente dans l'art roman.

Enfin deux autres personnages aux extrémités de la frise montrent du doigt l'Agneau pour indiquer la voie du salut à ceux que menace la chute.

Le thème de l'homme s'agrippant au feuillage et vu à mi-corps se retrouve souvent sur les tissus coptes. Entre les quatrième et cinquième travées, là où commencent les imitations architecturales les plus littérales de l'Égypte, nous trouvons un ensemble de thèmes semblables à ceux qui décoraient les absides des chapelles de Baouit.

Tout d'abord sur l'arc triomphal de ces absides, on trouvait parfois douze figures féminines des vertus tenant des attributs végétaux, sceptre et fleur, désignées par des inscriptions et parmi elles les trois vertus théologales. Ici, sur le pilier situé au Sud-Ouest, nous avons de même douze personnages, vus aussi à mi-corps, dont certains sont inscrits dans des cercles formés de rubans entrelacés, d'autres émergent du feuillage. A côté de ces personnages, apparaissent également des animaux, des êtres humains et d'autres demi-animaux, enfin des végétaux ; comme à Ainay, l'ensemble symbolise l'idée des *étapes,* de façon plus complexe que sur les fresques coptes.

L'image de la terre est représentée au Sud du pilier par les divers ordres : feuillages ou ordre végétal, animal à queue de poisson ou ordre aquatique, animal à queue retournée ou ordre terrestre, aigle ou ordre céleste.

La première étape apparaît sur la face Est : la lutte de la vertu et du vice est représentée par deux personnages placés de part et d'autre d'une sirène, image de la tentation : l'un assis, les mains sur les genoux, semble résister de toutes ses forces à la tentation, et, à sa gauche, se trouve un dragon ailé ; c'est le bien. L'autre s'agrippe au feuillage et, à sa gauche, se trouve de nouveau un animal à tête humaine, symbole aussi du péché de la chair ; celui-là représente le pécheur.

La seconde étape symbolisée par les personnages s'enlevant sur les entrelacs végétaux est celle de l'espérance. Les personnages émergeant du feuillage montrent les autres du doigt et ces derniers portent des livres : c'est l'ancienne Alliance préparant la nouvelle.

La troisième étape, qui nous met en contact avec les réalités supérieures, est représentée par des hommes qui en attirent d'autres au ciel par les cheveux, représentation courante à cette époque ; enfin le ciel, sur la face opposée à la terre, est représenté par le thème, classique, de l'Agneau adoré par les Vieillards.

En second lieu, dans la conque des absides coptes, on rencontrait toujours le Christ et le tétramorphe, parfois entre le soleil et la lune, planant au-dessus des douze apôtres, ou parfois au-dessus des apôtres mêlés à d'autres saints, variante de l'Ascension. Sur le pilier faisant face au précédent, au Nord, sont représentés, en atlantes, douze apôtres à genoux, et sur le pilier Nord-Est de la quatrième travée, le Christ est figuré en Bon Pasteur entre le soleil et la lune. On peut se demander si les niches situées à la base des piliers de la deuxième travée n'abritaient pas primitivement les évangélistes et leurs attributs animaux. Ces derniers sont représentés sur les chapiteaux modernes.

Fresques des chapelles et des tribunes

Les fresques ornant les deux chapelles jumelles situées sous la tribune septentrionale représentent, l'une les Saintes Femmes au tombeau selon l'iconographie byzantine, de couleur monochrome (pl. 19, 20), l'autre le supplice de sainte Catherine d'Alexandrie sur la roue. La présence d'une scène appartenant au cycle de la Passion et d'une scène de martyre s'explique aisément dans cette partie de l'église qui, par son plan, imite la croix du Christ, et où avait lieu la messe, commémoration du sacrifice du Seigneur. De même, en Auvergne, le cycle de la Passion se développera vers le transept ou sur les chapiteaux de l'abside.

Si les ensembles précédents s'adressaient au peuple, il n'en est pas de même des fresques des tribunes, où les thèmes sont plus savants car ils font une place à la typologie (thèmes de l'Ancien Testament préfigurant le Nouveau). C'est ainsi qu'à l'ensemble apocalyptique du Nord, saint Michel (pl. 18), main de Dieu nimbée, on voit se mêler le Jugement de Salomon, saint Étienne écrasant un dragon, une scène de martyre, scènes qui préfigurent le Jugement dernier. Au Sud, les fresques, inspirées par les miniatures d'un manuscrit, évoquent l'Ancienne et la Nouvelle Alliance : prophètes et rois de l'Ancien Testament se mêlent à des scènes du Nouveau, qui montrent le Christ instituant l'Église.

Porche du For

Cette entrée ne présente pas un si riche décor que la porte dorée. Les thèmes que l'on peut y voir avaient pour but d'inviter les puissants de ce monde à l'humilité : d'abord le fait même qu'ils avaient à passer devant le baptistère, les invitait à préférer le baptême à l'onction qu'ils avaient pu recevoir ou à tout autre rite d'investiture. D'autre part, à l'entrée du baptistère, se présentent deux lions qui autrefois portaient les colonnes du porche de l'entrée (pl. 21). Or pour les gens du Moyen-Age, les lions qui ornent fréquemment les entrées, souvenirs des lions de justice romains, indiquent à la fois l'emplacement de la justice ecclésiastique et le respect qui lui est dû.

Enfin sous le porche, lui aussi défiguré par Mimey, les grands devaient contempler à la fois sur le tympan, la Cène, sur un linteau en bâtière, et l'Ascension au-dessus : une inscription les invitait à s'incliner devant la Cène de Notre-Seigneur avant d'assister à sa commémoraison. Le tympan a été malheureusement martelé par les révolutionnaires (pl. 12).

Les lions défendant l'entrée apparaissent de nouveau au porche du For sous la forme des pommeaux de porte dont les originaux se trouvent au musée, et une inscription interdisait autrefois « le seuil au lubrique ». L'ensemble des thèmes de ce porche, savant car s'adressant aux clercs, présente, à l'instar de certains ensembles absidaux clunisiens, une image résumée du monde.

L'architecture de ce porche, disposé dans l'angle méridional du chevet et du collatéral Sud, et heureusement reconstitué, est d'une grâce aérienne (pl. 14). C'était la partie la plus récente du chevet et il possède la plus ancienne voûte d'ogives de la région. Il montre aussi un nouvel aspect de l'influence arabe, visible dans les arcades s'ouvrant à l'Est et au Sud, aux voussures doublées d'un arc isolé concentrique, relié à l'arc supérieur par de petits pilastres.

L'ensemble du décor de ce porche comprend d'abord une série de chapiteaux et de bas-reliefs. Les premiers surmontent soit les piédroits qui revêtent la forme de piles cannelées ou de colonnes gaufrées aux bases rectangulaires, soit les colonnettes encadrant le portail du croisillon Sud. Les bas-reliefs décorent surtout un épais pilier situé au Sud-Est, qui soutient les voussures de la voûte ogivale. Enfin ces voussures sont ornées aussi d'une série de motifs apparemment décoratifs, à l'exception du côté Nord, où un atlante remplace l'un des petits pilastres soutenant un arc supérieur. L'ensemble symbolise, à l'imitation de l'église byzantine, l'association du domaine céleste sont les voûtes, au domaine terrestre, réservé à la base cubique ; mais les sujets en sont seulement profanes.

Pour lire le programme de la partie inférieure, il faut partir d'une main ouverte, sculptée à l'angle du transept et du chevet, et observer les chapiteaux et les bas-reliefs en suivant le sens des aiguilles d'une montre.

La main représentée est la main de Dieu, mais ce n'est plus la main bénissante, dirigée vers le bas, d'une des fresques de la tribune Nord, c'est la main du Créateur, dont l'œuvre est décrite par la Genèse. On trouve successi-

48

vement l'*ordre végétal,* acanthes et rinceaux dessinant une double spirale vomie par des dragons, thème qui symbolise la germination, ensuite l'*ordre animal* représenté par des griffons s'affrontant à chaque angle du chapiteau, et, sur le pilier, par des oiseaux vomis par un dragon dont la tête est tournée vers le haut, enfin l'*ordre humain* sous les traits d'une femme et d'un homme couronnés pour indiquer les « rois de la création ». Eux aussi sont étroitement liés au monde et à la fécondité, la femme étant une sirène à queue de poisson, l'homme s'agrippant aux feuilles. Sur les voussures, roues tournantes, têtes couronnées, fleurettes, évoquent l'*ordre céleste.* Un dragon ailé et cornu décore la clef de voûte.

Clocher pyramidal

Le programme du clocher pyramidal n'est pas moins intéressant que celui du porche du For. On peut admirer les originaux des chapiteaux au musée Crozatier, où ils sont fort bien présentés dans l'ordre où il faut les *lire.*

Le clocher pyramidal date du milieu du XIIᵉ siècle. Foudroyé à quatre reprises au XVIᵉ siècle, on dut encore le reconstruire en 1887. Il se présente comme une superposition de sept cubes allant en s'amoindrissant jusqu'à la pyramide finale (pl. 2). Chaque étage présente une architecture différente. Le plus intéressant est le cinquième où sur chaque face, une voûte minuscule en cul-de-four, supportant un grand gable, repose sur de minuscules colonnettes, reliées entre elles par de petits arcs en plein cintre.

Si l'ensemble du For évoquait surtout l'ordre terrestre, une sorte d'*image du monde,* les hauts-reliefs et chapiteaux de ce clocher rendent sensible l'idée de l'accès de l'âme au ciel, toujours en portant l'accent sur le thème des étapes.

Tout d'abord, correspondant à l'*ordre terrestre,* des ouvriers situés aux angles, c'est-à-dire aux points cardinaux, comme les *lokapala* ou *rois-gardiens* des tours rondes chinoises, sont représentés en atlantes comme s'ils portaient le clocher.

Les *étapes* sont développées ensuite par trois groupes de chapiteaux d'angle situés à trois étages supérieurs en trois niveaux successifs. Au premier niveau sont représentés des personnages armés, librement inspirés du texte de saint Paul (*Ephés.* VI), représentant, toujours en trois groupes, une sorte de *psychomachie* (lutte des vertus et des vices) en relation avec le *plan terrestre.* Les quatre vertus cardinales sont désignées par des inscriptions : FORT (ITUDO), JUSTICIA (pl. 7), PRU(DENCIA), T(EMPERENCIA); porteuses de boucliers, de sceptres et de nimbes, il n'y a pas d'hésitation à les reconnaître. Il faut penser qu'un cinquième personnage (pl. 10), entouré d'animaux et de chasseurs, illustre la foi qui se débat avec les vices; vice de la chair : lièvre (animal de Vénus) mis en fuite par un joueur de trompe — paresse : chien tenu en laisse — défauts de l'esprit, orgueil ou idolâtrie : la tête tenue par un troisième personnage à droite : cet homme porte une lance et « a la vérité pour ceinture » (Eph. VI, 14). Il y a là une variante des thèmes de chasse, d'origine copte comme le cancel de Pommiers, et tels qu'on peut en voir aux frises de Saint-Paul-Trois-Châteaux et de Saint-Restitut, situées aussi dans des parties élevées, ou du clocher de façade d'Ainay à Lyon, ou de la corniche de Rozier.

A un étage supérieur apparaît l'*ordre intermédiaire,* celui du détachement du monde : trois chapiteaux d'une belle facture illustrent l'adoubement ou l'accueil dans un ordre militaire, vraisemblablement celui des Templiers (pl. 8 et 9).

Enfin à un troisième niveau, en haut du clocher, est évoqué, par des thèmes apocalyptiques, l'*ordre céleste.* On y voit des anges vengeurs, des hommes aux prises avec des dragons et des griffons, animaux mythiques qui dans l'Antiquité avaient pour mission de porter les défunts au ciel : l'un d'ailleurs est *androphage* et avale un membre humain.

Il est intéressant de noter combien l'influence copte est visible dans ce programme comme aux quatrième et cinquième travées, à la fois par l'idée des étapes et les thèmes de vices-animaux et d'allégories à feuillage. La forme elle-même du clocher pyramidal s'inspire, par des intermédiaires successifs, du célèbre phare d'Alexandrie, l'une des sept merveilles du monde. Ce dernier avait été assez littéralement imité d'abord à Nîmes et à Périgueux, puis plus librement à l'époque romane en Limousin, à Brantôme et à Saint-Martial de Limoges, avant d'être repris au Puy et à Valence.

NOTES

SUR DEUX ANNEXES DE LA CATHÉDRALE DU PUY

LA CHAPELLE SAINT-JEAN
DES FONTS BAPTISMAUX

Baptistères séparés

L'existence d'un baptistère séparé, à l'exemple des chapelles rondes provençales, est une preuve nouvelle de la tendance archaïque de l'architecture en Forez-Velay. En effet le baptême par immersion a cessé d'être en usage à partir du VIIᵉ siècle, et comme le centre de ces édifices était la cuve baptismale où l'on se plongeait tout entier, on ne trouve plus guère de baptistères séparés plus tard. Or le baptistère du Puy a été reconstruit au XIᵉ siècle, et à Saint-Rambert-en-Forez, prieuré de l'Ile-Barbe, une chapelle servant d'église baptismale et sous l'invocation de saint Jean-Baptiste, a été agrandie également à l'époque romane. D'ailleurs il est possible que l'usage du baptême par immersion ait été plus longtemps en usage dans la région lyonnaise qu'ailleurs, car un des bas-reliefs de l'abside d'Ainay représente cette cérémonie.

Par ailleurs, en raison de l'importance attachée au rite du baptême dans le christianisme primitif, et aussi de l'impuissance où on était à élever de vastes édifices, les premières communautés chrétiennes répartissaient en trois édifices, formant ce qu'on a appelé un *groupe cathédral*, les fonctions imparties plus tard à la seule cathédrale. Ce groupe comprenait, à côté de l'église cathédrale proprement dite qui ne s'ouvrait au peuple chrétien qu'en certaines occasions, le baptistère, naturellement, et l'église paroissiale, placée souvent sous l'invo-

cation des Saints Apôtres. Il en était ainsi au Puy, comme du reste à Lyon et à Vienne, où les usages primitifs se sont maintenus de diverses façons. L'église paroissiale du Puy, située dans les bas-quartiers, s'appelait Saint-Pierre-du-Monastier : elle possédait une abside tréflée, à l'instar de certaines églises coptes et rhénanes. Or la répartition très stricte des fonctions des diverses églises s'est maintenue au Puy. On peut penser que, si l'on ne baptisait pas plus que l'on ne célébrait d'offices funèbres dans la cathédrale, c'était que l'afflux des pèlerins interdisait de le faire; mais cette raison ne nous paraît pas suffisante. En effet, il était interdit même de loger sa sépulture à l'intérieur de l'enceinte de l'édifice. Ainsi les seuls tombeaux que l'on peut voir encore se trouvent à proximité du clocher pyramidal dans la salle dite du *tombeau du chanoine*. En fait, ces interdictions diverses s'expliquent par la consécration « angélique » de la cathédrale.

Aspects de la chapelle

La chapelle dite *Saint-Jean des fonts-baptismaux,* ancien baptistère, ne présente plus grand'chose de l'aspect qu'elle devait avoir à l'origine. Ce que l'on peut voir maintenant, c'est un édifice que Thiollier (*L'architecture religieuse à l'époque romane dans l'ancien diocèse du Puy,* 1900) estime du XIᵉ siècle; il est d'ailleurs fortement restauré. Les bases en sont romaines et on peut distinguer le petit appareil caractéristique et les traces de crampons. Le plan de l'abside actuelle, avec ses cinq absidioles inscrites dans un massif initialement arré (pl. 23), n'est pas sans rappeler encore celui des anciens baptistères provençaux ou celui de la chapelle d'Aiguilhe. Toutefois dans ces derniers édifices le plan le plus souvent adopté rappelait le triconque. On lui adjoignit une nef d'une travée, couronnée par une coupole à six pans qui a subi une restauration maladroite en 1764. Au centre est creusée la traditionnelle cuve octogonale.

Dans ce baptistère ont été découverts des restes paléo-chrétiens, en particulier le tombeau dit de saint Vosy, actuellement au musée. On peut voir d'autre part sur un mur des traces de fresques du XIVe siècle.

LE PORTAIL DE LA CHARITÉ DIT DE L'HOTEL-DIEU

Si, au lieu de pénétrer dans la cathédrale par la porte dorée, on la contourne, on rencontre au Nord le portail de la Charité. La fondation de la *Charité* était — d'après les historiographes de la cathédrale — de date très ancienne. Ils l'attribuaient à un boucher généreux dénommé Grasmanent ayant vécu au Ve siècle. En effet il faut penser que cette fondation était aussi ancienne que celle de la cathédrale, qui accueillait un grand nombre de malades.

Mais le portail qui actuellement nous rappelle l'ancien Hôtel-Dieu, bien qu'il présente un certain cachet, a été entièrement refait, sans souci de son état passé. Heureusement, il nous reste au musée un assez grand nombre de débris, qui ont permis à M. Gounot de reconstituer son état primitif (Cf. R. GOUNOT : *Collections lapidaires du Musée Crozatier*).

D'abord, sur un débris du linteau, sont sculptés, de façon assez fruste, douze des Vieillards de l'Apocalypse. Ils sont représentés sous arcatures, en deux registres superposés, et portant leurs violes. Au portail de Cluny, on pouvait voir de même sur le linteau les vingt-quatre Vieillards, que complétaient sur le tympan le Christ et le tétramorphe, et on peut penser qu'il devait en être de même ici. On sait que l'influence de Cluny s'est exercée sur le portail de Bourg-Argental.

Mais à Bourg-Argental comme ici, les piédroits sont bien différents de ceux de Cluny. On peut supposer, d'après les débris conservés au musée, que, sur les quatre colonnes surmontées de chapiteaux encadrant le portail, trois seulement étaient ornées de statues-colonnes, et trois chapiteaux de scènes ou de personnages. C'est toujours l'idée des trois *étapes* et plus précisément des trois vertus théologales, en même temps que l'opposition de la charité active à la charité contemplative, que l'on a voulu exprimer, comme à Bourg-Argental ; mais à Bourg-Argental toutes les colonnes et tous les chapiteaux étaient ornés de thèmes.

Le portail actuel ne présente plus qu'un seul chapiteau iconique, dont l'original est au musée, c'est celui représentant des religieuses donnant leurs soins aux malades couchés dans un lit : la charité active, thème bien adapté à l'entrée d'un hôpital (pl. 21). Au musée, le chapiteau complète une statue-colonne associant saint Pierre et saint Paul, image de l'Église présente et de la foi. Il n'est pas étrange de rencontrer sur une autre colonne la Vierge de l'Annonciation (pl. 26), allusion au jubilé du Puy, l'ange apparaissant sur le chapiteau (pl. 27). Mais la Vierge de l'Annonciation incarne en même temps l'espérance du salut. Enfin, sur la dernière colonne, un apôtre barbu est complété sur le chapiteau par l'image d'une religieuse portant le lambel CARITAS (pl. 28). La comparaison avec Bourg-Argental nous éclaire sur le sens de ce troisième apôtre : en effet à Bourg-Argental, son phylactère porte une inscription venant de l'épître de saint Jacques : par ce texte l'apôtre préconise, pour la guérison des malades, la prière d'intercession et l'onction d'huile. Il s'agit donc de saint Jacques, image de la charité contemplative. Dans l'ancien porche de la cathédrale de Vienne, on pouvait voir de même trois statues d'apôtres sur les piédroits, exprimant l'idée des étapes et des trois vertus théologales.

VOIR LE PLAN DU BAPTISTÈRE SAINT-JEAN PAGE 84

TABLE DES PLANCHES

52

3

4

5

6

7

8

9

10

11

14

15

19

20

22

Les deux derniers feuillets de la Bible de Théodulphe, conservée à la sacristie de la cathédrale.

DIMENSIONS

CATHÉDRALE

PORCHE DU FOR

Largeur totale, marches comprises : 9 m 50.
Longueur totale, marches comprises : 9 m 50.
Largeur du passage à l'Est : 7 m.
Largeur du passage au Sud : 7 m 50.
Largeur totale du transept : 43 m 50.
Profondeur de l'abside et des absidioles : 7 m.
Largeur de l'abside : 9 m 60.
Largeur de l'absidiole Sud : 5 m 50.
Largeur de l'absidiole Nord : 4 m 30.

PORCHE SAINT-JEAN

Largeur : 10 m 60.
Profondeur : 6 m.

CLOCHER PYRAMIDAL

Largeur à la base (d'un mur à l'autre) : 7 m 70.
Profondeur : 7 m 70.
Écartement entre les piliers : 4 m 30.
Profondeur totale, clocher pyramidal et salle du
    Tombeau du chanoine : 13 m 50.
Profondeur et largeur de la salle du Tombeau du
    chanoine : 5 m.
Largeur d'une chapelle des croisillons : 4 m 20.
Profondeur d'une chapelle des croisillons : 3 m 20.

CARRÉ DU TRANSEPT

Largeur : 9 m.
Profondeur : 9 m 30.

Largeur de la nef : 9 m.
Largeur du bas-côté Sud : 5 m.
Largeur du bas-côté Nord : 4 m 60.
Profondeur : travée I : 6 m 30.
Profondeur : travée II : 7 m.
Profondeur : travée III : 7 m.
Profondeur : travée IV : 6 m 40.

TRAVÉES V ET VI

Largeur de la nef : 7 m 50.
Largeur des bas-côtés : 5 m 50.
Profondeur du bas-côté Nord de la travée V : 6 m.
Profondeur du bas-côté Sud de la travée V : 5 m 50.
Profondeur de la travée VI : 6 m.
Hauteur de la coupole de la travée I (à partir du sol) : 19 m.
Hauteur de la coupole de la travée II (à partir du sol) : 19 m 20.

BAPTISTÈRE SAINT-JEAN

Narthex : profondeur : 5 m 35.
Largeur : 7 m.
Coupole, côté : 9 m 40.
Arc triomphal, largeur du pilier : 1 m 40.
Largeur abside : 5 m 80.
Profondeur : 5 m.
Largeur de la fenêtre axiale : 1 m 80.
Largeur d'une absidiole logée dans le mur : 1 m 20.

CLARTÉ ET MYSTÈRE DU CLOITRE

Le touriste trop pressé pour détailler tous les ensembles du Puy, ne jettera qu'un rapide coup d'œil sur la cathédrale, il verra de loin le rocher d'Aiguilhe, mais en visitant le cloître, il aura, sans avoir besoin de s'y attarder, un aperçu complet des beautés et des enseignements du Puy, car ils sont là réunis dans un espace assez restreint.

Tout d'abord, même si la lumière n'est pas favorable, il sera frappé par la clarté de l'ensemble. Le cloître charme par sa subtile harmonie colorée, comme les autres décors du Puy, mais avec plus de raffinement encore, car les couleurs vives et variées des pierres s'accordent avec la verdure du jardin central (pl. couleurs p. 95).

En même temps, si l'on n'est pas rebuté par le symbolisme roman, domaine assez ardu, on pourra admirer ici un ensemble de thèmes s'enchaînant dans un ordre rigoureux et clair.

En effet il faut une certaine initiation pour discerner la pensée qui s'exprime dans les fresques et sculptures de la cathédrale. L'ensemble du programme qui s'y développe est assez ésotérique, car il veut exprimer l'idée traditionnelle d'une progression dans la révélation des mystères, les derniers étant réservés à la partie la plus reculée du sanctuaire. Et en même temps l'idée d'interdit, non moins traditionnelle, caractérise chacune des entrées.

Au contraire, d'une façon générale, les programmes des cloîtres, conçus pour un ensemble fermé de dimensions réduites et s'inscrivant sur une suite de chapiteaux très visibles, se laissent plus facilement deviner que ceux des églises, où les chapiteaux sont souvent élevés. L'enchaînement des thèmes est d'autant plus lisible au Puy, que la suite discontinue des chapiteaux du promenoir se complète par la frise continue visible du préau.

Toutefois les programmes des cloîtres ne sont pas toujours simples. Ainsi les cloîtres catalans mettent en lumière le sens giratoire qu'il faut suivre pour *lire* les sculptures; mais sans le secours des textes manuscrits, nul n'aurait pu pénétrer leur symbolisme d'une extraordinaire rigueur. Les enchaînements des sujets dans la partie romane du cloître d'Elne et dans le cloître de Moissac ne sont pas moins subtils, car ils se conforment à un ordre à la fois cosmogonique, historique et moral.

Si le programme du cloître du Puy n'est pas si savant que ceux-là, c'est que l'iconographie du Sud-Est est moins complexe que celle du Sud-Ouest : ainsi, à Elne et à Moissac, il ne suffit pas d'analyser les sujets des chapiteaux, mais aussi ceux des motifs apparemment décoratifs des tailloirs, des bases ou des faces des piliers.

Mais surtout, à la différence des autres cloîtres, les enseignements du Puy ne s'adressaient pas seulement à des moines, mais aussi à des chanoines, mêlés au monde et donc intéressés au sermon moral que nous y voyons. En effet, comme dans les ensembles précédents, c'est toujours l'opposition de la voie du salut à la voie de la damnation qui est mise en valeur au cloître et celle-ci se présente avec clarté : la première voie se développe sur les chapiteaux intérieurs du promenoir, la seconde sur la frise, où l'on voit l'homme se transformer en animal sous les coups du péché. Par ailleurs les sujets des chapiteaux sont traités avec une rare vigueur expressive et un art consommé, et surpassent en qualité de style les sculptures de la cathédrale.

VISITE

NOTES EN MARGE DE LA VISITE DU CLOITRE DU PUY

Situé au Nord de la Cathédrale et englobé dans une série d'édifices, bâtiment des mâchicoulis, salle des morts, musée diocésain, ce cloître, de forme rectangulaire, s'ouvre sur le préau par cinq arcades sur ses côtés les plus petits, par dix sur ses grands côtés. Sauf à l'angle Nord-Est, les arcades extrêmes sont plus étroites que les autres. Toutes les voûtes d'arêtes sont semblables et reposent extérieurement, vers le préau, sur des piles carrées, flanquées de quatre colonnes dégagées. Aux angles, ces colonnes ont été placées de biais de façon très ingénieuse, ce qui a permis aux voûtes d'arêtes de se répéter avec une régularité parfaite. Les piles sont maçonnées, les colonnes ont exécutées d'un seul bloc, et sur les arcades romanes, qui sont doublées, se voit une moulure intermédiaire, fusiforme ou torique, qui n'existe pas aux arcades des angles Sud-Est et Nord-Est.

Outre son décor sculpté, ce qui fait le charme incomparable de ce cloître, c'est la haute harmonie des couleurs de sa marqueterie de pierres, d'inspiration arabe (pl. couleurs p. 95). Comme à la mosquée de Cordoue, les claveaux des arcs sont alternativement blancs et noirs, rouges et noirs, les écoinçons des archivoltes ornés de losanges blancs, rouges et noirs. En outre, chaque clef des archivoltes comporte un motif sculpté proéminent, caractéristique des églises de la région entre Rhône et Loire et qui se retrouve en particulier à Bourg-Argental, Brioude, Champagne et Chareu.

Le cloître a dû être construit en même temps que la cathédrale. L'ensemble de la galerie méridionale, une des travées de la galerie orientale et trois travées de la galerie occidentale, paraissent contemporains des parties de la cathédrale qui sont contiguës : tribune et croisillon Nord ; dans cette partie, les colonnes plus renflées, les chapiteaux de forme tronconique et présentant, comme ceux de la partie correspondante de l'église, des têtes à l'emplacement de la rosette, indiquent la fin du XIe siècle. Sur certains de ces chapiteaux, on voit des colombes, qui remplacent les volutes, encadrer les têtes et les corbeilles présentent deux registres, des rangs d'oves prenant parfois la place du menton du masque.

Les autres côtés du cloître ont été construits entre le début et la fin du XIIe siècle ; la galerie occidentale où la frise est plus compliquée que sur les autres côtés est sans doute la partie faite en dernier.

Si le cloître a été moins atteint que la cathédrale par les travaux des architectes modernes ou par les dégradations du XVIIIe siècle, il a subi néanmoins des restaurations et des dégradations. D'abord, au XVIIIe siècle, le côté méridional a été détruit. On l'a reconstruit à l'époque moderne, mais par ailleurs on a eu le tort de supprimer les étages surmontant les galeries, que le XVIIIe siècle avait épargnés. Ensuite on a pris de trop grandes libertés dans la restauration de la frise. Enfin on a trop fait avancer l'auvent du toit, ce qui n'a pas contribué à mettre la frise en valeur.

Cependant, chantiers successifs lors de la construction, dégradations récentes, ne paraissent pas avoir compromis l'unité du programme iconographique assez lisible.

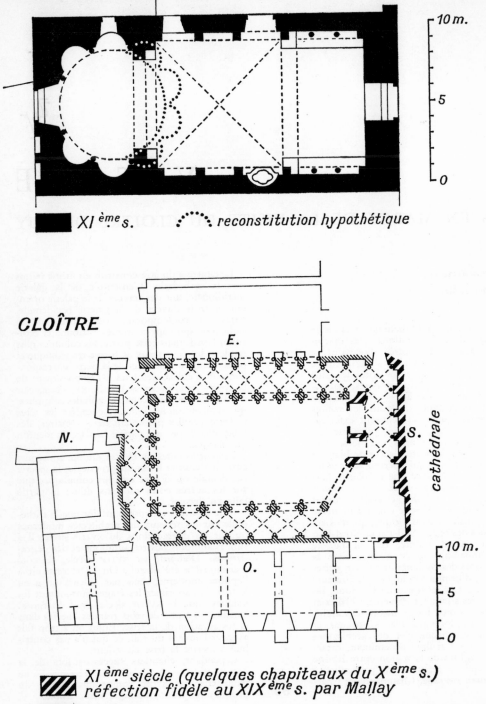

CATHÉDRALE DU PUY
BAPTISTÈRE ST. JEAN

10 m.

5

0

■ XI ᵉᵐᵉ s.   ⋯ reconstitution hypothétique

CLOÎTRE

E.

N.

S.

cathédrale

O.

10 m.

5

0

▨ XI ᵉᵐᵉ siècle (quelques chapiteaux du X ᵉᵐᵉ s.)
réfection fidèle au XIX ᵉᵐᵉ s. par Mallay

▨ XII ᵉᵐᵉ s.

Pour lire les programmes iconographiques des cloîtres romans, il faut suivre l'ordre dans lequel les chapiteaux sont éclairés au cours de la journée par les rayons du soleil. Ce fait a été démontré par M. Schneider à propos des cloîtres catalans San-Cugat-del-Vallès et Gérone. En effet, dans ces deux cloîtres, tous les chapiteaux sont ornés de motifs représentant les animaux les plus divers, que le soleil éclaire successivement dans sa course, et d'après un manuscrit que l'on a retrouvé aux Indes, on a pu assigner une note à chaque animal selon que, par sa nature, il est plus proche du ciel ou de la terre, oiseau, animal composite ailé ou non, etc... A condition de faire le tour du cloître dans le bon sens, les chapiteaux *jouent* ainsi un hymne qui correspond à celui de chaque monastère, et il faut, pour avoir le début de l'hymne, partir du chapiteau éclairé par le soleil levant le jour de l'équinoxe de printemps, puis contourner le cloître par le Sud.

Au Puy, si nous suivons ce même sens giratoire en partant de l'angle Nord-Ouest, chapiteaux et frises nous décrivent la lutte quotidienne que le fidèle doit mener pour mériter le salut; la voie du bien et les récompenses qui attendent l'élu, apparaissent sur les chapiteaux intérieurs, l'image des tentations et des châtiments qui menacent le damné se développent sur la frise. Les tentations principales du chrétien sont celles de la chair qui sont figurées surtout du côté occidental, les tentations de l'esprit apparaissant plutôt de l'autre côté. Cette répartition s'explique parce que les tentations de la chair sont plus fortes le matin, et atteignent leur acuité la plus grande à midi, les autres tentations dans la soirée.

L'ensemble de ce programme est inspiré par les *Conférences* de Jean Cassien qui décrit avec un grand luxe de détails la lutte que les moines doivent soutenir contre les assauts répétés du démon. Cet auteur avait vécu seize ans en Égypte et il y avait vu de près la vie des *Pères du Désert,* ascètes de la Thébaïde principalement, toujours hantés par cette terreur du diable prenant pour les tenter les formes les plus imprévues, bêtes du désert, mais aussi êtres composites inspirés par la mythologie païenne, centaures et satyres, que l'on retrouve ici. Car, en Égypte, les ascètes pouvaient voir en abondance des restes de monuments antiques, où ils découvraient la présence du diable.

Chapiteaux

Examinons d'abord les chapiteaux intérieurs. A l'angle Nord-Ouest, les premiers chapiteaux représentent deux lions menaçants, tenus par un nœud. Ils ont valeur d'avertissement, car ils représentent les monstres qui nous dévoreront au dernier jour. Il y a lieu de les comparer aux lionnes du trumeau de Moissac qui forment un nœud de leurs corps entrecroisés, et qui attendent l'heure des destructions.

Puis on voit la lutte d'un abbé et d'une abbesse se disputant une crosse (pl. 39). Ce thème évoque la lutte du bien et du mal, car on a voulu sans doute représenter ainsi un abbé qui reprend en main les destinées du monastère en éloignant les couvents de femmes, allusion à des événements locaux.

Les chapiteaux suivants représentent le Jugement dernier. D'abord l'âme de l'élu est portée au ciel, malgré les démons à profil et bonnet arabes qui tentent de l'enlever, ensuite on voit deux anges, l'un soufflant dans une trompe, l'autre tenant le livre.

Cet ensemble est bien le début du programme. L'alternative du bien et du mal, de l'enfer et du paradis est présentée à ceux qui sont encore soumis à *l'ordre de la terre,* et pour qui la crainte du Jugement est le commencement de la sagesse. Il est bon d'avoir à l'esprit, au début de la journée, la menace des châtiments éternels afin de suivre avec ardeur la voie du salut.

A l'angle Sud-Est, c'est-à-dire aux approches de midi, où les tentations venant de la chair prennent leur paroxysme (le « démon de midi » dont parle Cassien), sont précisées les promesses des béatitudes futures, toujours afin d'encourager le moine. L'homme entre deux colombes symbolise l'élu, et un thème d'une grâce exquise, dont l'original est au musée, deux colombes affrontées s'abreuvant à un vase, illustre la félicité des élus au paradis (pl. 35).

Enfin le fidèle qui aura su vaincre les tentations tout au long de la journée, est récompensé par la vision de l'Agneau de l'Apocalypse et du tétramorphe : les quatre animaux ornent les chapiteaux de l'angle Nord-Est (pl. 34 et 38), et récemment on a remis en place dans le mur, à hauteur des animaux, un magnifique Christ vu à mi-corps. Par ailleurs, les quatre animaux évangéliques symbolisaient les différentes étapes permettant d'accéder au salut.

Comme la frise, les chapiteaux visibles du préau évoquent les deux tentations primordiales, celles qui atteignent la chair et celles qui menacent l'esprit. Mais en même temps ils indiquent les chances qu'ont d'accéder au paradis, ceux qui sont encore dans le monde et soumis aux tentations.

La lutte victorieuse contre la luxure est évoquée par une centauresse fuyant un centaure (pl. 40). A l'encontre des personnages représentés sur la frise, elle se dirige vers la droite, côté du bien, elle porte comme les vertus du clocher le sceptre de la victoire, et un personnage tend la main pour l'accueillir. Par la vigueur de son exécution, ce chapiteau est le plus beau du cloître.

85

A l'angle Sud-Est, les péchés de l'esprit sont résumés par deux chapiteaux représentant des arabes, image de l'hérésie. Mais ces arabes ne sont pas indistinctement voués à la perdition, car si les premiers, échevelés, paraissent entraînés dans une ronde infernale, les autres paraissent sereins et stables. Certains originaux de ces chapiteaux, d'une belle exécution, sont au musée (pl. 41).

Frise

La frise représentant la dégradation dans le mal qui menace le fidèle, se lit dans le même sens, en commençant au même angle Nord-Ouest. La défaite de l'homme devant la tentation est représentée par des personnages entiers mêlés à des animaux, puis par des têtes, d'abord humaines, animales ensuite, enfin par des personnages vus à mi-corps, à tête animale, ou des animaux à tête humaine, et ces aspects des pécheurs, différents selon les côtés, concordent avec ceux que nous avons décrits dans les différents ensembles de la cathédrale, selon que le péché atteint l'homme dans son corps ou dans sa tête.

D'abord le chrétien, tête en bas, est assailli par les trois tentations majeures, d'après Cassien, la luxure, représentée par un homme nu à quatre pattes poursuivi par un chien, la gourmandise — un moine caressant un cochon — l'orgueil — un homme tenant un scorpion et un serpent, image du dialecticien. La suite de la frise évoquant diverses tentations est composée de têtes vomissant des serpents ou du feuillage, entourées de chauves-souris, de masques de cerfs, souvenirs de Cernunnos, de S celtiques, d'entrelacs, etc... Prélude de toutes les abdications dans le domaine spirituel, *l'acedia*, la paresse spirituelle, décrite par Cassien, est représentée à l'angle Nord-Est par un homme à tête animale caressant une oie et une tête de vache; elle précède la frise Nord, où apparaît la décomposition totale de l'être du pécheur. Chaque vice majeur est représenté soit par un homme à tête animale, soit par un génie imité de l'Antiquité, parfois à corps animal. Entouré de quatre animaux composites, chacun se présente comme une forme invertie du tétramorphe.

D'une façon générale, on a pu observer que, vers l'Ouest, chapiteaux et frise insistaient sur le péché de la chair — abbé et abbesse (où autrefois on voyait Héloïse et Abélard), centaure et centauresse, hommes au rinceau de la frise, — alors que le côté oriental faisait dominer les péchés de l'esprit — arabes, têtes animales sur la frise, *acedia* —. Ici tout se mêle, et comme c'est le côté qui n'est pas éclairé par le soleil, on peut penser qu'on a voulu représenter les rêves qui assaillent le chrétien au cours de la nuit et contre lesquels il est sans défense.

On ne saurait quitter le cloître sans admirer la fresque de la Crucifixion sur le mur du fond de la chapelle des morts (pl. 42), bâtiment situé à l'Ouest du cloître et aménagé par les chanoines pour s'y faire ensevelir, et qui date du xve siècle. Malgré le Christ tordu par la souffrance qui indique cette époque, la tradition romane et byzantine y est évidente : on la voit à l'aspect triomphal de la croix gemmée, aux anges à genoux sur les bras de la croix, au soleil et à la lune, aux prophètes Isaïe, Osée, Jérémie et Philon d'Alexandrie, vus à mi-corps, inscrits dans des cadres rectangulaires, semblables aux prophètes de la porte dorée (pl. 43).

Avant de quitter la cathédrale, il faut également contempler les Arts libéraux représentés en fresques, dans la bibliothèque capitulaire, qui datent de la fin du xve siècle. Si la fresque de la chapelle des morts montre la vitalité de l'esprit typologique — car il est rare de voir ainsi Philon, juif auquel le Moyen-Age attribuait le Livre de la Sagesse, associé aux prophètes —, la fresque des Arts libéraux montre également combien était vivace, à l'approche de la Renaissance, la traditionnelle culture médiévale.

On ne manquera pas non plus d'admirer à la sacristie l'un des plus beaux manuscrits carolingiens actuellement conservés : le *codex Aniciensis* des savants, communément appelé *Bible de Théodulfe*. Ce personnage, auteur du *Gloria laus* qu'on chante aux Rameaux, était en même temps évêque d'Orléans et abbé de Fleury (Saint-Benoît-sur-Loire). C'est probablement par le scriptorium de cette abbaye et dans les premières années du ixe siècle qu'il fit exécuter cet ouvrage, à la fois témoin des recherches sur le texte latin de la Bible et œuvre d'art de première valeur (pl. coul. p. 78). L'emploi de feuilles de vélin pourpre pour la copie des psaumes et des Évangiles, l'insertion de tissus précieux (maintenant conservés à part) pour protéger les enluminures surtout le style admirable de l'ornementation rendent sensible l'imitation de manuscrits byzantins. On sait que l'empereur de Constantinople, quelques années plus tôt, avait envoyé des présents à Charlemagne.

Enfin, on remarquera la belle grille de la porte donnant accès à la porte dorée; elle est romane : c'est un des plus beaux spécimens de ferronnerie du Moyen-Age et en même temps l'un des plus anciens et des mieux conservés (pl. 29). Le fer, forgé à la main, comme c'est le cas ici, présente toujours des irrégularités, et le forgeron, pour masquer ces défauts a eu l'idée de recouvrir brindille, embases, de coups de poinçon et de burin qui lui donnent un aspect brillant et précieux (pl. 30 et 31).

SAINT·MICHEL·EN·TERRE

Les différents itinéraires permettant d'accéder à la cathédrale ouvrent sur elle des vues toutes différentes et toujours séduisantes. De même, il faut regarder le rocher d'Aiguilhe sous toutes ses faces : il faut le voir surgir du dédale de rues qui l'entourent ou encore, à la sortie du village, contempler sa masse imposante des rives de la Borne (pl. 51), petite rivière qui décrit des méandres et qu'enjambe l'arche, bien conservée, d'un pont romain.

Sous ses divers aspects, il sera toujours aussi beau, « ce cierge noir que couronne une flamme », ou « ce pain de sucre noir et rouge au sommet duquel le Moyen-Age extasié bâtit un oratoire, un monument si parfait que son clocher aigu semble continuer la roche aiguë ».

En toute saison, il est aussi fascinant; en hiver l'harmonie des lignes apparaîtra mieux; au printemps, c'est plutôt par la gamme très riche des couleurs qu'il séduira : alors le rocher se dore, du fait des giroflées sauvages qui s'accrochent dans la moindre des infractuosités.

Mais il ne faut pas se contenter de l'admirer de loin. Si l'on fait l'ascension du mont comme les pèlerins du Moyen-Age, on sera récompensé. En effet la chapelle Saint-Michel-d'Aiguilhe est un des rares monuments du Puy — Aiguilhe n'étant qu'un faubourg du Puy — qui soit presque intact, et son passé est aussi prestigieux que celui de la cathédrale.

Montjoie naturelle sur la route des pèlerins, la chapelle d'Aiguilhe résume, comme la cathédrale, toutes les séductions de l'Orient. Les deux édifices ont le même clocher pyramidal, celui de Saint-Michel étant la construction la plus récente (comme l'a montré E. Mâle, un tel clocher démontre le rôle des grandes voies d'influence). Mais ils diffèrent par le plan. La cathédrale ne s'inspire que d'assez loin du plan traditionnel de la Cité céleste décrite par l'Apocalypse. L'imitation est beaucoup plus littérale dans la primitive chapelle d'Aiguilhe, de plan carré, couronnée par une coupole et ornée d'un riche programme de fresques intérieures, comme les églises byzantines.

La différence porte encore sur le décor extérieur. On sait que les églises de l'Ouest imitent aussi par leur plan cubique la Cité sainte, mais présentent en outre un riche décor de façade. Ici, la chapelle carolingienne s'est augmentée, à l'époque romane, d'une nef qui l'enveloppe au Nord et suit le contour du rocher, et elle s'ouvre de même par une façade richement ornée jusqu'à la corniche (pl. 53). Toujours comme dans le Sud-Ouest, l'iconographie de ce portail apparaît riche et complexe. Au lieu de deux Vieillards adorant l'Agneau, on les voit ici au nombre de huit, comme sur un portail catalan. L'idée du Jugement se présente sous diverses formes : d'abord par les monstres de la base du portail qui paraissent vouloir mordre, ensuite par les sirènes et hommes de feuilles dissemblables, enfin par le Christ-Juge qui apparaît au sommet. Ces traits communs avec le Sud-Ouest s'expliquent par les faits historiques qui ont mis Aiguilhe en relation avec la voie de Saint-Jacques de Compostelle.

Toutefois l'iconographie porte aussi la marque locale. Comme celle de la cathédrale elle présente des traits byzantins : le luxuriant décor du trilobe qui surmonte la porte, est identique à celui des canons des évangéliaires byzantins. L'influence copte, d'autre part, se révèle aussi par l'organisation tripartite des thèmes et les personnages porteurs de symboles végétaux.

La découverte récente d'un crucifix vêtu de la robe à l'instar des *majestâts* catalans et du fameux Christ que les pèlerins vénéraient à Lucques (pl. couleurs, p. 129), et aussi d'une croix-reliquaire byzantine, avec la *Mater Theou* (pl. 64), d'un coffret, d'un plateau, d'une petite amphore et de tissus coptes, confirme ces influences orientales qui, transmises par divers intermédiaires, ont joué sur la chapelle d'Aiguilhe.

D'ailleurs l'idée de la chapelle-haute vient d'Italie, et la chapelle élevée sur une hauteur s'inscrit dans l'étonnante propagation du culte de l'Archange des rives de l'Adriatique à celles de la Manche. Bourgogne et régions entre Rhône et Loire, au centre même de cette voie, possèdent le plus grand nombre de chapelles-hautes Saint-Michel, vestiges de ce culte. La cathédrale du Puy en possédait plusieurs, entre autres la tribune septentrionale avec son immense image de l'Archange (pl. 18), mais leur accès n'était pas permis au peuple. La véritable chapelle-haute du Puy, c'était le céleste sanctuaire d'Aiguilhe, dont, après avoir vénéré la Vierge, le pèlerin, d'âge en âge, a toujours fait l'ascension.

HISTOIRE

NOTES HISTORIQUES SUR SAINT-MICHEL D'AIGUILHE

Foi populaire et légendes

Le rocher d'Aiguilhe est une véritable *montjoie* naturelle (les montjoies sont des pyramides de pierres que l'on élevait sur les routes de pèlerinage pour jalonner le chemin des pèlerins), et le culte de saint Michel démontre mieux qu'aucun autre le rôle des grandes voies d'influence, étant venu d'Orient. Mais il ne fait pas de doute non plus que la consécration du mont à saint Michel n'a fait que purifier et sanctifier un culte ancien établi dans un site extraordinaire, qui avait dû depuis toujours frapper les populations. De même qu'à la cathédrale le pèlerin cherchait à la fois l'intercession de la Vierge, et la guérison en se couchant sur la pierre des fièvres, il attendait à Saint-Michel d'Aiguilhe la guérison de l'âme et du corps.

Les preuves de l'attirance populaire vers le rocher sont de toutes les époques, si l'on en croit une légende celtique attachée au mont. Elle rapportait qu'une jeune fille, faussement accusée d'une faute, avait voulu prouver sa virginité en se jetant du sommet, et qu'elle avait remporté l'épreuve. L'idée de l'épreuve, de la *Geis* celtique, l'honneur attaché à la virginité, tout indique cette origine de la légende. Des légendes semblables sont fréquentes dans la région, associées à des sites naturels, soit à des hauteurs, plus souvent à des cascades ou à des fontaines (le Pilat, la Seauve, Sainte-Ennimie).

En second lieu, preuve que l'endroit était propice aux miracles, on trouvait à mi-hauteur une petite chapelle vouée à saint Guignefort, seule consécration dans la région à ce saint qui paraît être d'origine anglo-saxonne. Or celui-ci était réputé pour guérir les enfants rachitiques ou épileptiques.

Par contre, on est en droit de se demander à quoi servait la petite chapelle octogonale Saint-Clair d'Aiguilhe, autre monument roman situé, lui, dans le village, juste au pied du mont. Les anciens auteurs l'appelaient *temple de Diane,* à cause de son linteau timbré d'un chrisme entre le soleil et la lune. En raison de son plan centré, Quicherat et Enlart la prenaient pour un baptistère, mais il n'est pas douteux qu'il devait s'y attacher, comme à la chapelle d'Aiguilhe, une espérance de guérison, car des textes indiquent qu'elle faisait partie d'un ancien hospice. La chapelle Saint-Clair mérite qu'on s'y arrête; car elle est d'une grâce exquise, avec ses sept faces ornées d'arcades au dessin polylobé, son chevet circulaire et son décor en mosaïques de pierres (pl. 47 à 50).

L'archange saint Michel n'était pas le seul archange vénéré sur la hauteur, car les archanges saint Raphaël et saint Gabriel avaient aussi leurs chapelles sur les flancs du mont. Mais surtout, et cela dès une date reculée, une foule d'excavations étaient creusées dans le roc pour abriter ermites et reclus désireux de se mettre sous la protection des archanges. Ils étaient si nombreux à l'origine qu'ils avaient établi, à côté de la chapelle primitive, un petit oratoire qui disparut lors de l'agrandissement de celle-ci aux XIe-XIIe siècles. Ils formèrent alors près de l'Hôtel-Dieu l'abbaye de Séguret.

Le culte de saint Michel est venu d'Orient par des voies diverses.

D'abord par l'intermédiaire de l'Italie. C'est là qu'est l'origine de la consécration d'une hauteur à l'archange. En effet ses apparitions miraculeuses se sont produites d'abord au Monte Gargano, puis aux îles de Lérins, au Mont-Saint-Michel d'Avranches, à Rome : la légende concernant le Mont-Saint-Michel normand est identique à celle du Monte Gargano. D'après M. du Ranquet, les seigneurs d'Arlant ont noué d'anciens rapports avec l'abbaye Saint-Michel-de-la-Cluse en Piémont où ils avaient été très frappés de retrouver la même légende de la pucelle miraculée.

En second lieu, intermédiaire de l'Espagne. En effet la première chapelle d'Aiguilhe a été élevée à l'instigation du doyen Truannus sous l'épiscopat de Godescalc, premier pèlerin de Compostelle, et ce dernier avait rapporté d'Espagne un traité de saint Ildefonse sur la Sainte Vierge. Or saint Michel était le protecteur des soldats luttant contre les Arabes.

Si saint Michel a pénétré par des voies diverses, son culte est le produit de l'élan unanime de toute la chrétienté. Le culte des archanges est né surtout en Syrie et en Asie-Mineure en relation avec les idées de Denys l'Aréopagite, mais le thème même de la pesée de l'âme par saint Michel n'est que la transposition, par l'iconographie chrétienne, d'un thème de l'ancienne Égypte, si préoccupée par l'idée de la survie de l'âme; d'autre part Hubert et Mauss ont montré comment un toponyme celtique, à l'instar du terme Gargano-Gargan, a partout précédé le culte de l'archange. Ce fait se confirme en un sens au mont d'Aiguilhe, puisqu'une légende celtique a précédé la consécration du lieu à saint Michel.

Divers chantiers

La construction de la première chapelle élevée sur la plateforme a été menée assez rapidement, car la première pierre date de 962 et la dédicace de 972.

L'édifice primitif de Truannus était petit : de forme carrée, avec des niches hémisphériques dans la masse du mur, c'était une réduction de la chapelle palatine d'Aix-la-Chapelle. Ce type de plan a fait école dans la région, nous l'avons vu au baptistère et c'est celui des croisillons de la cathédrale. On le retrouve à l'époque romane dans l'ancienne chapelle de Polignac, les absides des églises de Beaulieu et de Saint-Maurice-de-Roche.

Cet édifice primitif a été englobé au siècle suivant dans un second, plus vaste, de forme grossièrement carrée, qui suit le contour de la plate-forme. La façade plaquée sur l'édifice et le petit clocher pyramidal sont les parties les plus récentes et datent au moins de la deuxième moitié du xiie siècle.

Des fresques, malheureusement très dégradées, couvrent tout l'intérieur de l'édifice. Elles correspondent très exactement aux travaux successifs, comme l'a montré M. Deschamps; celles de l'abside actuelle, partie qui correspond à la chapelle primitive, portent la marque carolingienne, et il y a lieu de les rapprocher des fresques de la crypte de Ternand, dans le Rhône, de peu antérieures : dans ces deux ensembles, les évangélistes sont enfermés dans des médaillons ronds comme sur une miniature de l'Évangéliaire de Munich, ce qui marque l'influence copte.

Principaux événements

L'histoire de la chapelle est si étroitement mêlée à celle de la cathédrale que l'on ne peut guère mentionner d'événements qui la concerne seule. Du bourg d'Aiguilhe est originaire Raymond d'Aiguilhe, dit parfois d'Aguilhers, chroniqueur de la première Croisade dont l'évêque du Puy, Adhémar de Monteil, a été le promoteur. Il participa à la prise de Jérusalem et fut le serviteur du comte de Toulouse, l'un des chefs de la Croisade.

On sait aussi que, plus tard, Guillaume de Chalencon, évêque du Puy de 1418 à 1443, éleva à la base du mont une chapelle de saint Gabriel, archange de l'Annonciation. La chapelle Saint-Raphaël, à mi-hauteur sur le roc, ne devait pas être plus ancienne. Toutes deux étaient pourvues d'une habitation pour le prêtre desservant. Elles ont été détruites, ainsi que ces habitations.

Si l'évêque du Puy a ainsi manifesté son intérêt pour le culte pratiqué à Aiguilhe, c'est que l'ascension du mont Saint-Michel était le complément obligé du pèlerinage à la Vierge. Au sommet du mont, il était d'usage d'offrir aux pèlerins d'importance une collation préparée par les soins du chapitre, pour les récompenser de leur effort. Nous n'avons pas la liste des pèlerins de Saint-Michel, on a seulement quelques détails concernant le passage de Louis XI à l'occasion de son pèlerinage à la Vierge. Louis XI vénérait spécialement saint Michel, car il créa l'*ordre de saint Michel* pour rivaliser avec l'*ordre de la Toison d'or* de son rival bourguignon. Au cours du jubilé de 1524, Médicis nous apprend que les pèlerins se rendaient en si grand nombre à la chapelle, après avoir vénéré la Vierge, que l'on dût établir un service d'ordre pour assurer la montée et la descente sans bousculade.

En 1562, les Protestants firent eux aussi l'ascension du mont, mais afin de précipiter dans la vallée la statue de l'archange. Et le roc servit ensuite de fanal aux Ligueurs pour répondre aux feux allumés par les Protestants à Denise, Espaly et Polignac.

Les paysans venaient en foule autrefois le 29 septembre, fête de l'archange, c'est pourquoi la foire du 30 septembre est restée une des grandes foires du Puy.

SAINT-MICHEL D'AIGUILHE

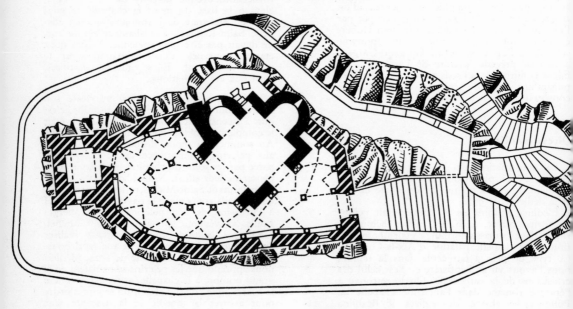

0   5   10 m.

■ Xème siècle

▨ XIIème s.

VISITE

NOTES EN MARGE DE LA VISITE DE SAINT-MICHEL

scension du roc

Le pic d'Aiguilhe est un dyke de brèche
asaltique en forme de pyramide irrégulière
e 88 mètres de hauteur et d'un diamètre de
ase de 57 mètres. On accède à la plate-forme
ù se trouve la chapelle par un escalier de
58 marches. Avant de gravir ces marches,
n passe par un beau portail roman du XIIᵉ
ècle, aux claveaux alternativement blancs et
oirs, et, ce seuil franchi, on trouve, à gauche,
ntrée de la chapelle Saint-Gabriel disparue,
ont il ne reste que les fondations.

Au sommet un chemin de ronde permet de
oir la chapelle sous toutes ses faces et en
ême temps de contempler une très belle
ue. D'un côté, on découvre la vallée de la
orne, de l'autre, le volcan de la Denise, à la
asse imposante. Celui-ci évoque un souvenir :
découverte en 1844, par le cultivateur
docsklénard, des restes d'un homme fossile,
ue l'on peut voir à l'heure actuelle au musée.
l'époque cette découverte avait fait sensation,
r elle révolutionnait les théories alors cou-
ntes, concernant l'ancienneté de l'apparition
l'*homo sapiens*.

emière chapelle

On distingue facilement, à l'extérieur comme
l'intérieur, les traces des chantiers successifs.
a chapelle primitive paraît tout de suite beau-
oup plus élevée que les constructions ulté-
ures. L'appareil des parties anciennes est
régulier et noyé dans un mortier épais,
ors que celui des parties récentes est beau-

coup plus soigné. Au Sud, on distingue la
porte primitive de la chapelle, car un linteau
apparaît, encastré dans le mur.

En pénétrant à l'intérieur, au fond de l'édifice, on se trouve dans la chapelle primitive
à peine modifiée (pl. 61). Elle se présente
coiffée par une coupole de forme pyramidale,
parti assez exceptionnel que l'on ne trouve
guère que dans les Pyrénées à Saint-Orens.
Deux des trois absides primitives existent
encore, axées à l'Est et au Nord, mais il ne
reste que l'ouverture de la troisième qui a
disparu. Au-dessus des quatre arcades s'ouvrant sur la nef et sur les absides, sont percées
quatre fenêtres, primitives aussi, qui éclairent
la chapelle. Enfin on discerne un raccordement
maladroit dans le mur, là où s'amorce le nouveau chantier.

Deuxième chantier. La partie par où on entre
dans la chapelle appartient au deuxième chantier, de la fin du XIᵉ siècle, le portail étant du
XIIᵉ (pl. 53). On trouve, d'abord, une sorte de
narthex de deux travées. Puis on gravit sept
marches. Cette adjonction nouvelle se présente
ensuite comme une sorte de couloir formé de
neuf travées de forme irrégulière, voûtées
d'arêtes non moins irrégulières (pl. 57 à 60).
Enfin, au Nord, une travée semi-circulaire
forme une sorte d'abside (pl. 59).

Les voûtes sans doubleaux reposent sur des
colonnes renflées à la base, et les chapiteaux
en grès de Blavozy rappellent ceux de la partie
ancienne du cloître (pl. 63). Les bases des
colonnes présentent deux tores, les tailloirs
sont nus, comme toujours en Forez et en Velay.

93

(suite à la page 132)

TABLE DES PLANCHES

94

30

32

34

36

37

39

40

42

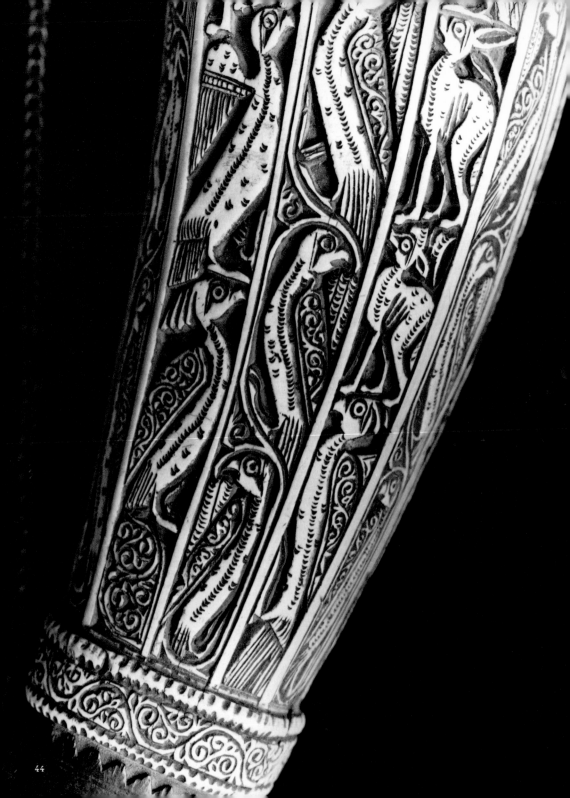

45

48

49

54

56

60

62

63

DIMENSIONS

CLOITRE DE LA CATHÉDRALE

Largeur du préau : 8 m 50.
Longueur du préau : 17 m 50.
Bahut portant les colonnes, largeur : 1 m.
Largeur du promenoir : 2 m 90.
Longueur totale du promenoir sens Nord-Sud : 26 m 50.
Longueur totale du promenoir sens Est-Ouest : 15 m 80.

SAINT-MICHEL D'AIGUILHE

Premier chantier

Côté du carré (distance des murs à la base) : 3 m 60.
Profondeur des absidioles : 1 m 80.
Largeur des absidioles : 1 m 50.

Second chantier

Profondeur totale : 14 m.
Largeur maxima : 8 m 50.
Profondeur du vestibule : 2 m 20.
Profondeur de l'escalier : 2 m.

CHAPELLE SAINT-CLAIR

Largeur et profondeur de la salle octogonale (d'un mur à l'autre) : 6 m.
Profondeur de l'entrée : 2 m.
Largeur de l'entrée : 1 m 50.
Profondeur de l'abside : 4 m 20.
Largeur de l'abside : 4 m 15.

Nous analyserons d'abord le programme sculpté de la *façade,* beaucoup mieux conservé que les fresques de la chapelle primitive. Cette façade est complètement couverte par le décor, comme celles des églises de l'Ouest. Par contre le tympan est resté nu, ce qui rapproche ce portail de ceux de l'Italie.

L'encadrement du portail est constitué par des colonnettes aux chapiteaux ouvragés, portant un trilobe richement décoré, à la fois sur les lobes et les écoinçons, qui rappelle les *pylaï* — portiques — des canons des évangéliaires byzantins. Au sommet, une corniche est ornée de cinq bas-reliefs sous arcatures. Des corbeaux sculptés, répétant le motif de la main ouverte du porche du For, soutiennent ces arcatures. Un riche parement de marqueterie de pierres orne les parties restées vides de sculptures.

Examinons le programme sculpté (pl. 53). Toujours comme dans l'école de l'Ouest, c'est le Christ-Juge qui se présente au sommet entre l'Alpha et l'Oméga, ayant, à sa droite, les deux intercesseurs, la Vierge et saint Jean, à sa gauche, les deux juges, saint Michel porteur de balances, saint Pierre et ses clefs, arbitres de notre sort. Ces cinq figures symbolisent l'*ordre intermédiaire.*

L'*ordre céleste* est représenté comme à la cathédrale par les Vieillards adorant l'Agneau. L'Agneau est logé dans le lobe central et s'inscrit dans une gloire (pl. 56). Dans chaque lobe, de part et d'autre, quatre Vieillards, de profil comme ceux de Maureillas, présentent leurs coupes qu'ils portent de leurs mains voilées et adorent l'Agneau. L'ensemble est l'imitation du tympan de Manrèse en Catalogne.

Enfin l'*ordre terrestre* encadre cette vision céleste. La même hiérarchie végétale, animale et humaine, que nous avons rencontrée aux piliers de la cathédrale et au porche du For se retrouve ici. Le règne végétal se développe à la fois sur l'arcade du tympan et sur les écoinçons du trilobe; sur la première, sous forme d'une tige sinueuse, vomie par des têtes grimaçantes (pl. 54) — ce thème a le même sens que le double rinceau du For — sur les autres, sous forme d'un dense réseau de rinceaux. On retrouve, pour évoquer l'ordre animal, les lions à valeur d'avertissement, c'est-à-dire qui sont chargés d'avertir ceux qui n'entreraient pas dans le sanctuaire avec les dispositions voulues. Mais à la différence des lions que nous avons vus jusqu'à présent, ce sont des monstres composites qui tiennent aussi du chien, à l'instar du monstrueux cerbère du linteau de Beaulieu, et ils évoquent ainsi les descriptions de l'Apocalypse. D'autre part, des aigles décorent le chapiteau de gauche de l'entrée et des oiseaux se mêlent aux rinceaux de feuillage. L'homme enfin apparaît sous les

mêmes formes qu'au For, sirènes et hommes de feuilles (pl. 55), mais formant des couples dissymétriques : une sirène a une queue de serpent, l'autre de poisson (pl. 54). Ces couples évoquent l'idée de jugement : ainsi l'un des génies, celui de droite, entre deux oiseaux affrontés, comme certaines têtes du cloître, symbolise l'élu; l'autre, celui de gauche, entre des oiseaux qui se poursuivent, figure le damné. Enfin les vertus, sous forme d'hommes portant des sceptres fleuronnés, décorent le chapiteau de droite à l'entrée.

La marqueterie de pierres souligne cette organisation tripartite des thèmes. Au-dessus de l'arc trilobé, une bande de trois couleurs, faisant alterner les losanges rouges et blancs sur fond noir, dessine une archivolte, en relation avec l'ordre céleste. Dans les écoinçons du portail, un motif de bâtons brisés se répète trois fois, associé à l'ordre de la terre. Il en est de même de la frise de losanges qui encadre l'ordre intermédiaire, et cette association de bâtons brisés et de losanges se retrouve, identique, sur les façades de l'école de l'Ouest par exemple sur celle de Saint-Jouin-de-Marnes, pour évoquer aussi le passage des réalités inférieures et terrestres aux réalités supérieures et célestes.

Décor intérieur

Les *fresques* de la chapelle primitive sont très effacées, mais plus visibles que celles de la partie plus récente (pl. 62). Elles décrivent de façon littérale le grand thème du jugement qui n'était qu'ébauché en façade. Dans la coupole, le Christ est à l'Est; à sa droite les élus sont vus à mi-corps sous les arcades d'une belle demeure et paraissent appartenir aux diverses classes sociales. A sa gauche, les damnés sont entraînés aux enfers par un ange manœuvrant une roue. A l'Ouest, l'archange saint Michel attend les ordres de son Maître et au Nord et au Sud, des légions de séraphins à six ailes adorent le Christ. Les animaux évangéliques sont disposés aux quatre angles inférieurs comme dans les coupoles byzantines. La limite entre le ciel, la coupole, et la base carrée qui représente la terre, où se trouvent les apôtres figurés en pied, est indiquée par une bordure en crête noire cernée de rouge.

Avec son Christ entouré du tétramorphe qui triomphe dans la coupole de plan pyramidal avec sa base carrée, ses douze apôtres représentés au-dessous de la retombée de voûte qui, comme en de nombreux ensembles, ont remplacé les douze pierres de base de la Cité céleste, la chapelle est bien conforme à la description qu'en fait le texte biblique. Les thèmes des *chapiteaux* de la partie la plus récente s'harmonisent aussi avec cette idée : au lieu des quatre aigles d'un chapiteau de l'entrée quatre est le nombre de la terre), une corbeille représente huit aigles (huit est le nombre de la vie future, celui des Vieillards de l'entrée), quatre aux angles et un à demi caché par les précédents sur chaque face, motif copte.

D'autre part les animaux terribles ou doux des chapiteaux les plus proches de l'entrée illustrent ce texte d'Isaïe : « le loup habitera avec l'Agneau » : ils se présentent dans l'attitude de l'adoration (pl. 63).

SAINT-ROMAIN-LE-PUY

La table des planches illustrant ce chapitre se trouve à la page 164

De tous les monuments romans ou pré-romans de France, Saint-Romain-le-Puy pourrait bien être l'un des plus difficiles à atteindre.

Qui pourrait le penser, à consulter la carte? Saint-Romain n'est point situé dans la région montagneuse du Forez : tout au contraire, dans la plaine de la Loire. L'église qui nous intéresse, toutefois, bâtie au sommet d'un pic, dominant la vallée, n'est reliée que par un maigre sentier à la route qui dessert la cité.

Il faut donc gagner à pied le sommet. La montée n'est pas bien longue et l'édifice mérite cet effort. Avec son plan étrange, sa crypte, son chevet aux pierres sculptées, ses chapiteaux, il offre maints aspects remarquables qui ne sauraient échapper au regard.

Par-delà le ravage des temps, le langage franc, direct, d'une telle église n'a rien perdu de sa vigueur.

LE PUY FORÉZIEN

Dans l'architecture et la sculpture du Puy en Velay, nous avons discerné à plusieurs reprises l'influence lyonnaise : même source carolingienne aux fresques de la chapelle d'Aiguilhe et à celles de la crypte de Ternand dans le Rhône, analogie entre les coupoles et les chapiteaux de la cathédrale du Puy et de l'église de Polignac, d'une part, et ceux d'Ainay d'autre part. Mais cette influence est évidemment plus sensible en Forez, en raison des rapports historiques, et elle apparaît surtout à Saint-Romain-Le-Puy, prieuré d'Ainay. En effet le premier chantier d'Ainay, dont fait partie la chapelle Sainte-Blandine, est l'œuvre du même architecte qui, à Saint-Romain, a signé son œuvre, et l'identité du décor sculpté en témoigne.

Néanmoins diverses analogies rapprochent l'église de Saint-Romain des églises vellaves. D'abord sa situation sur une hauteur : elle se trouve en effet sur un pic basaltique et ce pic apparaît plus insolite que le mont Anis ou le suc d'Aiguilhe, car il s'élève presque isolé dans la plaine du Forez (pl. 65).

Ensuite l'ancienneté de la première église : à peine plus tardive que la chapelle d'Aiguilhe, elle est contemporaine du début de cet élan qui couvrit la France du « blanc manteau d'églises » dont parle Raoul Glaber. Toutefois elle n'est pas sous l'invocation de l'archange, fait que l'on ne doit pas attribuer à la dépendance d'Ainay : en effet c'est à saint Michel qu'avait été dédiée la première église, élevée par Carétène, femme de Gondebaud.

Autre analogie avec les églises vellaves : les plans des églises successives imitent le triconque.

Enfin un double trait rapproche l'église de Saint-Romain de la cathédrale du Puy; ce sont les sculptures rappelant le passé celtique et les pierres antiques réemployées. Ce trait la rapproche aussi de l'église d'Ainay. L'église de Saint-Romain est placée sous le vocable de saint Martin, venu en Forez et à Vienne afin de détruire les idoles, comme en de nombreuses localités. Or, précisément, des restes de colonnes et de tuiles à rebords, réemployés, attestent qu'un temple païen a pu précéder l'édifice chrétien (Anne d'Urfé place sur cette hauteur un temple de Vénus dans son *Portrait du pays de Forez*). Comme au mont Anis, une pierre sacrée d'origine celtique était située sur la hauteur : c'était une pierre percée, à ouverture circulaire, dont l'avocat Grangeon de Montbrison raconte que l'on y déposait les enfants chétifs pour les faire vivre.

Tout prouve d'ailleurs que, comme les hauteurs vellaves, la butte de Saint-Romain a frappé l'imagination populaire. Ainsi on disait encore récemment de la hauteur de Saint-Romain, comme des autres monticules du Forez, qu'elle comportait des amarres pour y attacher des navires, traditions qui sont comme un écho de faits géologiques réels : existence de vastes lacs à la place de la plaine actuelle en amont de la percée de la Loire à Pinay (d'ailleurs le prolongement de ce lointain passé est encore visible dans les étangs qui jalonnent la plaine et qui, au Moyen-Age, étaient plus considérables).

Néanmoins l'influence celtique apparaît plus forte à Saint-Romain qu'à la cathédrale. Par exemple l'aspect plus purement décoratif de la sculpture peut lui être attribué : les frises extérieures sont formées de plaques rectangulaires ou carrées simplement juxtaposées, système qui avait déjà été utilisé à l'extérieur des sanctuaires celtiques de Provence, et deux carreaux reproduisent les motifs des monnaies marseillaises, le swastika et le cornupète (taureau bondissant) (pl. 69).

Si le décor des frises et des chapiteaux de Saint-Romain marque une certaine tendance à l'abstraction, il n'est pas pour autant vide de sens. Malgré son bestiaire oriental, ses thèmes de chasse, la frise du chevet du Puy présentait un sens chrétien. Il en est de même des frises de Saint-Romain, et la plupart de leurs motifs se retrouvent, soit dans la nef, soit dans la crypte, avec des modifications qui ont un sens symbolique. Ainsi, malgré leur schématisme, apparaissent des programmes distincts : l'idée des cultes païens et de l'ancienne Alliance se développe à l'extérieur, l'idée de la Passion s'harmonise avec le plan cruciforme de l'église dans la nef, l'idée de l'Apocalypse domine dans la crypte. L'ensemble suit ainsi un ordre historique, moral et cosmogonique.

Que l'on trouve un grand nombre de thèmes provenant du paganisme, cela n'a rien qui doive surprendre. Dans la frise de Saint-Romain comme dans celle de Saint-Rambert, on discerne l'influence de la pensée de saint Irénée, martyr de la première église lyonnaise et originaire de l'Orient. Or, ainsi que l'a montré M. Carcopino, celui-ci avait donné l'exemple de l'utilisation de symboles païens, tels l'*ascia* pythagoricienne ou le carré magique, dans un sens chrétien; ces thèmes ont eu d'ailleurs une lointaine descendance.

HISTOIRE

NOTES HISTORIQUES SUR SAINT-ROMAIN-LE-PUY

Principaux faits historiques concernant l'église, le château et le prieuré

L'église de Saint-Romain était d'abord englobée dans un ensemble de constructions couvrant la totalité du pic, un château dont les enceintes successives cernaient l'ensemble de la hauteur et protégeaient le village en même temps, et un prieuré adjoint à l'église, et dont on peut voir encore les ruines. Des amas de pierres épars sur la colline montrent l'ampleur des constructions détruites.

Fait assez rare dans la région, on sait avec une précision assez grande les dates de l'église primitive et du prieuré. Un libelle du prieur Jacques de Bouthéon, datant de 1488, nous apprend qu'il avait en main les actes primitifs de l'église : d'après ce document l'église aurait été fondée par un certain Bouchetal, *Boschialeus miles,* sous Conrad le Pacifique, qui la donna à l'église d'Ainay sous l'abbatiat d'Astier. Le règne de Conrad a duré de 937 à 983, l'abbatiat d'Astier de 980 à 983; c'est donc entre ces deux dernières dates qu'il faut placer cette fondation. D'autre part, Dom Estiennot indique que le monastère de Saint-Romain fut construit en 1007. Quant au château, il dut être élevé en même temps, pour défendre le prieuré.

De par sa situation, le château était une place importante et l'on a, par la suite, de nombreux textes à son sujet. Avec Marcilly, Cleppé, Donzy, il fait partie d'un groupe de places fortes pour lesquelles Guigues II rendit hommage à Louis VII, et c'était aussi l'un des lieux cédés au comte de Forez par l'archevêque de Lyon en 1173.

En 1218, Guy IV donne le prieuré aux religieuses de Saint-Thomas en Forez. Un acte du comte, daté de 1239, au château de Saint-Romain, concerne le don d'un luminaire à Notre-Dame de Montbrison. En 1338, un arbitrage de Robert de Saint-Bonnet conclut un différent entre le comte et le prieur, qui doivent dès lors se partager les droits de haute, moyenne et basse justice.

La peste de 1348, surnommée la *peste noire* à cause de sa gravité, ne laissa que trois habitants dans le bourg. La guerre contre les Anglais nécessita la construction de la seconde enceinte, qui, ayant subi les coups des routiers de Villandrado en 1431, dut être restaurée en 1433. Nous avons sur les fortifications de Saint-Romain à cette époque un témoignage précis, le dessin aquarellé de l'*Armorial de Guillaume Revel,* recueil d'un grand intérêt qui présente des croquis perspectifs des principales places fortes de la région.

En 1666, le prieur disparaît, et l'église n'est plus desservie que par un chapelain dépendant de l'abbaye d'Ainay. Enfin en 1684, l'abbaye d'Ainay est sécularisée ce qui entraîne des procès sans nombre, et le prieuré s'avère bientôt inhabitable.

Les trois chantiers de l'église

L'église présente un plan complexe laissant apparaître, à l'extérieur et à l'intérieur, la trace de trois chantiers successifs.

Dans son état actuel, elle se compose d'une nef unique munie d'arcatures murales et voûtée en berceau, d'une travée sous clocher accompagnée de chapelles, d'une longue travée droite de chœur formant croisée, d'un faux transept terminé par des absidioles, enfin d'un chœur et d'une crypte de mêmes dimensions. La première chapelle de Bouchetal comprenait la nef actuelle, la travée sous clocher et les chapelles semi-circulaires, qui dessinaient en plan un triconque approximatif. Au cours du second chantier, on a agrandi l'édifice primitif en lui adjoignant le chevet actuel et la crypte. Le troisième chantier a consisté surtout à rhabiller l'ensemble de l'édifice, afin de voûter l'église de Bouchetal et de hausser le chœur : il a fallu renforcer à la fois les murs de la nef au moyen d'arcatures murales, le carré et l'abside en les étayant de piliers et de chapiteaux. En effet ces derniers, par leur facture, dénotent une date plus récente que ceux de la crypte.

Le plan de l'édifice définitif n'est pas sans analogie avec celui de la première église, l'agrandissement ayant surtout consisté à doubler le chevet primitif, qui était déjà d'assez vastes proportions dans la première chapelle. Observons en effet que, si les chœurs des absidioles sont plats à l'intérieur, ils sont pris à l'extérieur dans un mur circulaire, d'un dessin assez semblable à celui des premières chapelles. Il semble que l'on ait voulu ainsi reproduire un parti rappelant le triconque, parti triomphal d[e] source orientale. Il est d'autant plus méritoir[e] d'avoir répété au Nord une absidiole auss[i] large, que la configuration du terrain s'y prêtai[t] assez mal. C'est toujours l'importance extrêm[e] attachée à l'abside qui se reflète ici, comme dan[s] de nombreuses églises locales, et il faut admire[r] la hardiesse des architectes de Saint-Romai[n] qui ont dû monter un soubassement énorm[e] dans le vide.

L'importance de ces agrandissements qu[i] rappellent les tours de force réalisés au Puy[,] prouve également que le nombre des fidèle[s] gravissant la hauteur devait être grand. Pa[r] ailleurs, un nombre important de pierre[s] tombales, dont certaines ont été encastrée[s] dans l'église actuelle, au pied de la hauteu[r] couvraient autrefois le sol.

Au xve siècle des travaux furent accompli[s] par le prieur Jacques de Bouthéon. Il en rest[e] des fresques intérieures, le portail occidenta[l] actuel, qui date de 1440, et une *poutre de gloir[e]*. Le portail comporte trois rangées de voussure[s] prismatiques, des chapiteaux ornés d'anges. L[a] clef de l'arc manque, mais au-dessus de l'empla[-] cement de l'ancienne clef, on voit le monogram[-] me du Christ et les armes du prieur. On sait qu[e] par ailleurs, le prieur avait agrandi le chœu[r] et l'avait clos par un jubé comportant une cor[-] niche ornée de ses armes, encadrées par deu[x] génies.

NOTES EN MARGE DE LA VISITE DE SAINT-ROMAIN-LE-PUY

Traces des chantiers successifs

Il n'est pas difficile de discerner les traces de la première église. On la reconnaît, à l'extérieur, au petit appareil basaltique, ensuite à la porte à double arc, à claveaux de brique et de pierre alternés, visible dans la masse du mur; il en existait une semblable au Nord. De même, à l'intérieur, les deux anciennes chapelles qui faisaient partie de cette construction s'ouvrent par des arcs de pierre et de brique alternées, portés par des pilastres à impostes. Enfin la rupture entre le chantier du xᵉ siècle et le suivant se voit tant à l'extérieur qu'à l'intérieur.

Il est aussi facile de voir la différence entre les murs de la nef d'une part, et d'autre part les arcatures très puissantes et les pilastres construits en grand appareil, du troisième chantier.

On distingue plus mal les deuxième et troisième chantiers dans l'abside. Cependant, avec un peu d'attention, on observera que les trois arcatures du chevet, partie la plus soignée de l'édifice comme il est de règle en Forez, ne sont pas placées chacune dans l'axe de la baie qu'elles encadrent, et ces baies ne sont pas non plus au centre de l'arcature du sanctuaire, preuve de deux séries de travaux successifs (pl. 72). Grâce aux fresques datant du xiiᵉ ou xvᵉ siècle qui les ornent, on peut s'apercevoir que les colonnes du sanctuaire et du chœur sont œuvre d'une campagne postérieure, car le collage des socles sur la pile primitive apparaît nettement (pl. 74). D'autre part, on voit que les chapiteaux qui surmontent ces colonnes sont plus récents que ceux de la crypte de forme cubique et aux tailloirs plus débordants. En dernier lieu, au cours de la troisième campagne, on dut surélever la travée de chœur et y créer des tribunes, car l'amorce des escaliers permettant d'y accéder est encore visible.

Malgré la succession de ces chantiers à des dates éloignées, on discerne un programme d'ensemble et on peut sans inconvénient étudier d'abord les frises extérieures, de facture très archaïque, ensuite les chapiteaux de la nef, plus récents, enfin ceux de la crypte, contemporains des frises.

Frises extérieures

Ces frises qui rappellent les frises de métopes antiques sont formées d'une série de plaques rectangulaires ou carrées, ornées de motifs sculptés en faible relief, entre lesquels on a laissé un espace (pl. 67). La plus grande partie de la frise est disposée à mi-hauteur en pleine vue, mais elle se continue au chevet à grande hauteur, près de la corniche.

Ces frises confirment les rapports de Saint-Romain avec Lyon. Elles ne constituent pas un exemple isolé en Forez, car on en trouve une autre comparable à Saint-Rambert — prieuré de l'Ile-Barbe — dont certains carreaux sont identiques à ceux de Saint-Restitut, dans la vallée moyenne du Rhône. M. Mâle avait pensé à propos des frises de la vallée du Rhône, à des fabriques très importantes d'Afrique du Nord. Nous croyons que, même si les motifs de ces frises répètent des motifs orientaux, c'est à Lyon surtout, à l'Ile-Barbe en particulier,

143

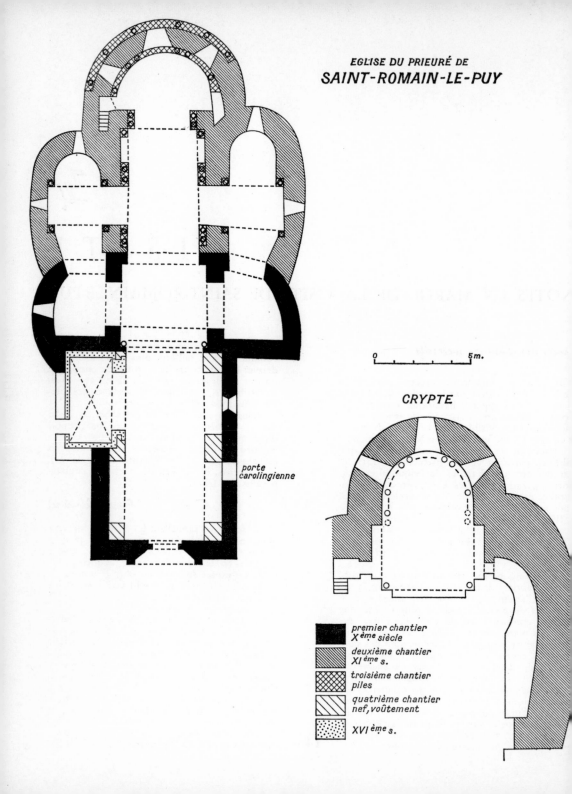

EGLISE DU PRIEURÉ DE
SAINT-ROMAIN-LE-PUY

0   5 m.

CRYPTE

porte
carolingienne

premier chantier
X ème siècle

deuxième chantier
XI ème s.

troisième chantier
piles

quatrième chantier
nef, voûtement

XVI ème s.

que les carreaux qui les composent ont dû être faits en série.

On peut assigner aux frises de Saint-Rambert et de Saint-Romain des dates différentes; les plaques de Saint-Rambert, d'un format plus petit, sont plus anciennes. Le motif d'Adam et Ève, du même côté de l'arbre à Saint-Rambert, est plus archaïque que celui de Saint-Romain, où on les voit de part et d'autre (pl. 70). Enfin la frise de Saint-Rambert imite plus exactement l'alternance des triglyphes et métopes de l'art antique.

Au lieu d'une alternance de motifs à figures et de motifs décoratifs, nous voyons à Saint-Romain un système différent : au-dessous de la frise apparaît une zone d'appareil réticulé, et au-dessus court une bande biseautée décorée de billettes (pl. 69, 70). Cet aspect d'ensemble n'est pas sans rappeler la disposition des frises sculptées de la première cathédrale du Puy, au-dessus d'une mosaïque de pierres.

Symbolisme

Comme dans la frise absidale du Puy la plupart des thèmes sont empruntés au paganisme, à l'Orient et au celtisme, mais ils font quand même allusion au christianisme. Un thème est biblique, c'est celui d'Adam et Ève (pl. 70), d'autres évoquent la Croix du Seigneur, c'est un motif de croisement dessiné par deux brins terminés par des fleurs de lys (pl. 68), qui est apparu d'abord sur les chapiteaux de la chapelle Sainte-Blandine d'Ainay. Le thème de la tentation d'Adam et Ève se complétait primitivement par un autre représentant l'exclusion du paradis terrestre.

Ce groupement de thèmes peut paraître étrange : il s'explique dans un esprit typologique, pour montrer qu'à travers les signes utilisés par les païens comme à travers les récits de l'Ancien Testament, on pouvait voir l'annonce du sacrifice du Christ : de même saint Irénée avait vu une croix cachée dans l'*ascia* pythagoricienne, et si l'on trouve ici la faute d'Ève, c'est que, selon un sermon célèbre de saint Irénée, elle sera rachetée par Marie. Cette pensée est clairement exprimée sur la frise de Saint-Rambert où l'on voyait en même temps l'adoration des Mages.

Parmi les thèmes empruntés à l'Orient, nous retrouvons les lions affrontés, défenseurs de l'entrée, et des oiseaux également affrontés, buvant au vase, préfigure de l'Eucharistie (pl. 70). Mais à l'instar des griffons chargés en Crète et en Chaldée de défendre l'autel, les oiseaux sont attachés à des piliers.

Une croix connue du paganisme est le svastika que l'on voit associé à la figure du cornupète, à l'imitation des monnaies gauloises en provenance de Marseille (pl. 69).

A propos des fresques des chapelles du Puy, nous avons dit que si des martyres de saints ou des scènes de la Passion étaient souvent représentés dans le carré du transept ou dans l'abside, c'était en relation avec le plan de l'église imitant la Croix du Christ, ou encore avec la cérémonie de la messe célébrée dans l'abside. Il en est de même ici, avec cette différence toutefois que les fresques évoquant des martyres de saints décorent aussi la nef.

En premier lieu, si nous retrouvons le chrisme à fleurs de lys de la frise extérieure, nous ne le voyons plus inscrit dans un carré, symbole de la terre, mais dans un ruban circulaire, symbole du ciel (pl. 76).

Ensuite, le second motif reproduit un type habituel des chapiteaux byzantins et coptes; au-dessus d'un motif d'entrelacs, formés de trois rubans, dessinant des nœuds, on voit s'inscrire une tête de bélier à chaque angle de la corbeille, les cornes remplaçant les volutes d'angle (pl. 77). Or le bélier du sacrifice d'Abraham est une préfigure biblique du sacrifice du Sauveur.

Effigies de saints martyrs ou scènes de martyres sont peints sur les murs de l'église. Tout d'abord, dans une absidiole, une fresque d'époque romane représente saint Irénée, le célèbre évêque de Lyon. Ensuite comme au Puy, les fresques du xv⁰ siècle reproduisent le martyre de sainte Catherine d'Alexandrie, la sainte la plus vénérée au Moyen-Age. Enfin les fresques d'époque gothique racontent le martyre de saint Romain. Elles sont situées à l'entrée de la nef. Sur la première, saint Romain marche au supplice poussé par ses bourreaux. Sur la seconde saint Barulas enfant est décapité pour avoir rendu témoignage au Christ à la demande de saint Romain : cette image ne s'accorde pas avec la légende du saint, car celle-ci ne raconte pas qu'il ait été décapité, mais étranglé dans sa prison. Les bourreaux sont figurés avec un savoureux réalisme qui évoque le style des manuscrits anglo-saxons.

La crypte

Extérieurement, la crypte a des proportions identiques à celles du chevet de l'église, mais les murs étant beaucoup plus épais, elle est moins grande intérieurement. Les escaliers qui y descendent se logent dans les parties correspondant aux absidioles (pl. 82). La crypte proprement dite est composée d'une courte travée précédant le chœur qui, avec ses trois fenêtres et ses colonnes couplées, n'est pas sans analogie avec celui de l'église (pl. 81).

145

Mais le programme iconographique est différent. Si les thèmes de la frise extérieure correspondaient à l'*ordre terrestre,* ceux de la nef à l'*ordre intermédiaire,* les thèmes des chapiteaux de la crypte sont apocalyptiques et évoquent l'*ordre céleste.* C'est qu'en effet, une crypte est par excellence un lieu sacré car elle abrite d'ordinaire le corps saint ou la relique.

Comme indication d'un symbolisme apocalyptique, on observe que tous les thèmes se répètent sur les trois faces des chapiteaux, sauf celui des deux lions à valeur d'avertissement, et que ces deux lions diffèrent l'un de l'autre : l'un paraît vouloir mordre une queue bourgeonnante (pl. 84), l'autre vomit des feuilles (pl. 85). Or les lions dissymétriques, ou s'attaquant à deux catégories d'êtres, ainsi par exemple ceux du linteau du portail de Beaulieu, sont fréquents dans les programmes apocalyptiques.

Un autre chapiteau représente des paons (pl. 86). Le paon est symbole du paradis par sa queue ocellée imitant l'arc-en-ciel, et d'éternité à cause de sa chair réputée imputrescible.

Au lieu des feuilles ou des entrelacs des autres chapiteaux de l'église ou des frises, on assiste maintenant à l'épanouissement de la fleur, et alors que le swastika de la frise extérieure, tourné *vers la gauche,* était inscrit dans un carré, un autre chapiteau présente des soleils tournant *vers la droite,* thème glorieux

Enfin on se rappelle que les oiseaux affrontés d'un carreau de la frise étaient attachés. Il n'en est plus de même ici où ils évoquent vraiment les félicités célestes, tandis que le vase où ils s'abreuvent a la forme du chrisme (pl. 83).

Ainsi, malgré le caractère schématique et en apparence purement décoratif des thèmes, rien n'est mieux ordonné et plus riche de sens que le programme de Saint-Romain-le-Puy.

DIMENSIONS

Longueur totale de l'église : 23 m 40.

Premier chantier

Largeur de la nef : 5 m 40.
Largeur au chevet : 11 m 40.
Profondeur du carré : 4 m 75.

Second chantier

Largeur maxima : 12 m 20.
Largeur de chaque absidiole : 2 m 20.
Profondeur de l'absidiole Sud : 2 m 60.
Profondeur de l'absidiole Nord : 1 m 60.
Largeur de la travée du chœur : 4 m 40.
Profondeur de la travée du chœur : 3 m 80.
Profondeur de l'abside semi-circulaire : 2 m 40.
Largeur de cette abside : 4 m 40.

CRYPTE

Largeur Nef : 4 m.
Profondeur : 2 m 60.
Abside : largeur : 3 m 50.
Profondeur : 2 m 60.

POMMIERS-EN-FOREZ

La table des planches illustrant ce chapitre se trouve à la page 164.

On ne redira jamais assez combien l'art roman a pu s'épanouir à l'aise aussi
bien dans les vastes églises que dans celles, plus modestes, de villages.
En ces dernières, il semble même qu'il ait atteint souvent à ses sommets.

L'église de Pommiers, ancienne église priorale, pourrait être donnée en
exemple : simple et sobre, dépouillée, silencieuse, intime, elle rassasie l'âme
plus et mieux qu'un édifice grandiose, aux moyens spectaculaires.

Sa beauté, faite d'intériorité, de richesse réelle, n'a pas fini de rayonner ;
elle prend même un éclat nouveau en notre temps, tellement elle sait répondre à
nos vœux les plus secrets, à nos aspirations les plus chères.

POMMIERS, GARDIENNE DU FOREZ

Situé au bord de l'Aix et sur une ancienne voie romaine secondaire, le bourg de Pommiers, actuellement dans l'arrondissement de Roanne, était le siège d'un archiprêtré de l'ancien *pagus forensis.* Un prieuré bénédictin a donné naissance au village, et, dominé par l'église, ce dernier s'agrège si étroitement au prieuré qu'il a gardé un plan circulaire, marqué par une ligne continue de fortifications et par des poternes. Le prieuré se présente actuellement avec de hautes tours couronnées de poivrières.

L'église ne peut être dissociée de son cadre infiniment séduisant (pl. couleurs p. 148), et tous les siècles ont concouru soit à l'élever, soit à la décorer, de même que le prieuré voisin, mais le passé romain l'a très particulièrement marquée. On peut voir en effet, soit à l'intérieur, soit à l'extérieur, des colonnes réemployées, une tombe gallo-romaine, des bornes milliaires.

L'architecture de l'église présente des rapports avec celle des églises de la vallée du Rhône ou du Velay, mais, à la différence des précédentes, elle apparaît presque vierge de tout décor. Et c'est sans doute de l'art romain et spécialement de l'art romain lyonnais qu'elle a hérité le goût des belles masses architecturales d'une austérité voulue (pl. 87 à 92). En effet l'art romain à Lyon est très pauvre en représentations figurées : les tombeaux en particulier n'offrent en général qu'un simple décor d'*ascia* ou de flammes.

Ce goût pour une certaine austérité peut être attribué aussi aux survivances du celtisme et celles-ci se manifestent à Pommiers dans les corbeaux du mur Sud (pl. 95).

Mais, d'une façon générale, le goût pour la sobriété du décor, peut-être héritage des celtes, est conforme au tempérament forézien et vellave. Les comtes de Forez, protecteurs de Pommiers, ont puissamment contribué, en Forez et en Velay, à l'essor de l'ordre cistercien et des ordres apparentés, qui ont voulu éliminer de l'église les « horribles merveilles » dont parle saint Bernard ; Guy II fonde le monastère de Valbenoite, tandis que sa femme donne à Fontevrault l'abbaye de Bonlieu. Guy IV érige en Velay l'abbaye de la Seauve où les ducs de Saint-Didier se feront enterrer.

Ces églises romanes ne sont pas seules dans la région à faire preuve d'une certaine nudité, il en sera de même des églises gothiques : ainsi la collégiale Notre-Dame-d'Espérance de Montbrison ou encore les chapelles de Baroilles ou de Laval, dépendances de Pommiers, ne comportent presque aucun décor.

Mais ce goût pour une certaine nudité architecturale n'éliminera pas les monstres, ni les sujets représentant des hommes aux prises avec des bêtes ou des plantes, héritage de l'art roman, et leur symbolisme n'évoluera qu'assez peu, alors même qu'ils se transforment en culs-de-lampe, en miséricordes de stalles ou en gargouilles. Il en sera ainsi dans la région de Saint-Bonnet-le-Château en particulier, où personnages, monstres et animaux, représentés en culs-de-lampes ou en gargouilles à l'extérieur des églises, forment encore des programmes.

D'ailleurs au musée du Vieux-Pommiers, on peut voir un débris du cancel primitif de l'église, orné d'une sculpture en faible relief (pl. 94). Le sujet représenté est d'une grande importance pour mettre en valeur le symbolisme roman, d'abord parce qu'il s'explique par des textes, ensuite parce qu'il se retrouve, semblable ou avec des variantes, mais avec un symbolisme identique, dans de nombreux ensembles romans : c'est celui de la gazelle fuyant le lion, image de l'âme fuyant le mal. La variante la plus courante est celle du cerf fuyant le centaure-sagittaire. Or le thème de la chasse symbolique aura une lointaine descendance, car on le retrouvera sur des ivoires à sujets profanes, puis sur des tapisseries de la fin du Moyen-Age et du début de la Renaissance.

Nous avons déjà vu, à la frise du Puy, des gazelles et des cerfs fuyant des lions et indiqué leur source orientale. A Pommiers l'imitation d'un modèle oriental est beaucoup plus évidente, car l'identité du relief de Pommiers avec une fresque de Baouit est presque absolue. (O. Beigbeder, *La Symbolique,* p.95, *Que sais-je ?* n°745). La plaque de Pommiers s'apparente étroitement, par sa facture, par ses entrelacs abritant des animaux, aux plaques décorant l'abside d'Ainay où se manifeste l'influence copte.

HISTOIRE

NOTES HISTORIQUES SUR LE PRIEURÉ DE POMMIERS-EN-FOREZ

Les origines

Malgré la part de la légende, malgré la disparition des archives monastiques, l'histoire du prieuré et de l'église de Pommiers est assez bien connue.

Une légende concerne sa fondation. Elle est apportée par le chanoine Jean-Marie de la Mure, dans l'*Histoire des Ducs de Bourbon et des Comtes de Forez*. Le prieuré aurait été fondé au XIᵉ siècle par le comte Gérard II de Forez en expiation du meurtre par ses fils de leur sœur, sainte Prêve, à la suite de son refus à un mariage. Celle-ci fut décapitée et sa tête jetée dans un puits, mais elle ne tarda pas à y être découverte, car elle faisait des miracles. Elle aurait alors été déposée dans la pierre de l'autel de l'église clunisienne, et le château aurait été converti en prieuré.

À propos de la pucelle d'Aiguilhe, nous avons mentionné d'autres légendes locales semblables : celle-ci, d'origine celtique, décrivant des vierges qui défendent leur honneur, et ces récits s'attachent à des sites naturels remarquables. Il est probable que la légende de Pommiers est aussi ancienne, car la motte de Pommiers a été habitée depuis une date reculée.

En particulier, l'occupation romaine a laissé des traces nombreuses : ce sont d'abord les bornes milliaires ou colonnes votives, extraites en 1880 des bases du transept Nord, et placées aujourd'hui contre cette même face latérale de l'église. L'une est dédiée à Trajan (IIᵉ siècle). Ensuite, d'autres vestiges, murs, voie romaine du IVᵉ siècle, prouvent l'existence d'une agglomération à cette date. D'après le nom même de Pommiers (*Pomaria* signifie vergers), on peut penser que le site était occupé par une villa romaine abritant d'importants vergers.

Comme ailleurs, le christianisme a dû pénétrer entre le VIᵉ et le VIIIᵉ siècle et la *villa* est devenue *cella* monastique.

Qu'elle soit d'origine celtique ou qu'elle concerne l'implantation du christianisme, c'est en tout cas à un ancien événement que fait allusion la légende de sainte Prêve. Témoin un tombeau gallo-romain, en granit, de forme massive, que l'on peut voir dans le croisillon Nord et qu'une inscription du XVIᵉ siècle, peinte en ocre foncé, désigne avec vraisemblance comme le *tombeau de sainte Prêve, vierge et martyre, fondatrice de ce monastère*. Le couvercle de ce sarcophage, de forme non moins massive, qui avait été utilisé lui-même comme tombe au XVᵉ siècle, sert depuis 1940 de maître-autel.

En outre, un texte prouve que notre chanoine s'est trompé sur la date de fondation du prieuré : un acte de 891 nous apprend en effet que l'archevêque de Lyon, Aurélien, rend à Nantua en Jura, dont il était abbé, un certain nombre de possessions dont *cella quæ dicitur de Pomeirs*, formule qui ne peut désigner que Pommiers. Ensuite, Pommiers est admis en 960 dans le grand ordre clunisien. Et bien que, depuis 1100, l'abbaye de Nantua soit ramenée par le Pape Pascal II au rang de prieuré, cependant, jusqu'au XVIIIᵉ siècle, la nomination du prieur dépendait toujours de Nantua.

Les deux chantiers de l'église

Il y a malgré tout une part de vérité dans la légende rapportée par La Mure : la date du XIᵉ siècle est vraie en ce qui concerne l'église elle-même, et on peut aussi admettre que les comtes de Forez ont contribué à l'élever, ainsi que le prieuré.

Que l'église soit du XIe siècle, c'était déjà l'avis de Thiollier lorsqu'il la décrivait en ces termes : « exemple étonnant de la puissance de l'effet à laquelle peut atteindre la seule beauté des proportions sans le secours équivoque des riches matériaux et des décorations surchargées de détails... en même temps, un des plus précieux spécimens de l'art religieux du XIe siècle que possède le Forez. »

Mais doit-on penser que toute l'église soit du XIe siècle ? Dans son état actuel elle se présente avec nef et collatéraux, transept avec absidioles, croisée et abside précédée d'une travée droite de chœur. Dom Buenner pense que, seule, la nef, partie la moins ornée de l'église, est du XIe siècle. Nous nous rallions à l'avis de Mme Piédanna dans son *diplôme de l'école des Chartes* qui, constatant que les fenêtres du chœur et du transept datent du XIe et que l'appareil de ces parties de l'édifice est assez petit à l'extérieur, n'assigne au début du XIIe siècle que le collatéral Nord : toutes les parties plus ornées de l'abside, du chevet extérieur, du carré du transept, dateraient, d'après elle, de l'époque gothique. Leur adjonction aurait été motivée par la nécessité de renforcer l'église à la suite d'une menace d'effondrement.

L'église actuelle a dû être construite à l'emplacement de la *cella* des VIIIe-IXe siècles, sur le flanc Nord des bâtiments claustraux : en effet la tradition voulait que l'église soit au Nord, le réfectoire au Sud, les autres salles aux autres points cardinaux, les galeries du cloître au centre, disposition qui est restée celle des bâtiments actuels. C'est justement parce que l'église, agrandie à la fin du XIe siècle, n'a pu prendre son développement complet du côté du cloître, que bas-côtés et croisillon Sud sont plus courts que ceux du Nord. Car nous ne pensons pas, comme Dom Buenner, que le croisillon Sud ait été amputé au moment où le cloître actuel, datant du XVIIIe siècle, fût bâti.

L'ampleur des travaux, qui n'ont pas intéressé seulement l'église, mais aussi le quadrilatère formé par les bâtiments conventuels, les bases des tours étant de la même époque que l'église, correspondrait bien à une nouvelle fondation, et ce ne sont pas les faibles revenus des moines de Pommiers qui pouvaient subvenir aux frais de tant de constructions. Aussi peut-on penser que l'aide du comte de Forez Gérard II, père de sainte Prève d'après La Mure, a été nécessaire pour les mener à bien.

Apogée

C'est à cette époque que se situe l'apogée du prieuré et il dura jusqu'au XIIIe siècle : le prieur est archiprêtre d'une trentaine de paroisses.

Le monastère ne cesse d'être l'objet de générosités des comtes de Forez. D'après les *chartes du Forez,* en 1220, le comte Guy IV fait legs aux religieux d'une rente de trente sous viennois pour l'entretien d'une lampe dans la chapelle de Notre-Dame de Laval, oratoire relevant du prieuré ; d'après la tradition, la Vierge de Laval était, comme celle du Puy, un don de saint Louis. En 1239, Guy IV lègue une nouvelle rente de sept sous d'or aux religieux, pour célébrer son anniversaire, et son successeur Guy V confirme ces donations.

Il en est de même des nobles voisins, qui fondent leurs anniversaires dans l'église priorale ou y élisent leur sépulture comme par exemple les Pierrelatte et les l'Aubespin. Béatrix de l'Aubespin fait un don aux moines en 1287, pour qu'ils chantent l'office des morts huit jours après ses funérailles.

Les raisons religieuses, l'attachement aux moines, ne peuvent expliquer entièrement ces attentions dont l'église de Pommiers est l'objet : la motte de Pommiers est en outre un site stratégique de grande importance pour les comtes de Forez, et les prieurs ont dû lutter également contre leurs abus de pouvoir.

C'est ainsi qu'un acte de 1264 veut empêcher les empiétements du comte en matière de chasse et d'impôts. Cet acte indique que le prieur a droit de haute et basse justice, c'est-à-dire qu'il protège effectivement ses ressortissants contre l'arbitraire des décisions comtales. D'autre part, un autre acte, datant de 136. sous Jean Ier, précise que « la garde du prieuré de Pommiers ne peut être séparée du comté de Forez ». L'importance stratégique ancienne de la place de Pommiers explique que certaines parties de l'enceinte puissent remonter au XIIe siècle. La porte du Pavé, à l'Est, est du XIIIe siècle (pl. 96) comme la porte occidentale porte des Moines, qui a gardé l'encorbellement du moucharabieh (créneaux de défense). La défense comprenait une double enceinte. Ainsi la porte du Pavé était flanquée de deux bastions dont un seul subsiste, et précédée par un fossé en avant duquel se présentait une autre porte.

Décadence

Au XIIIe siècle, un certain relâchement s'introduit au sein de la communauté bénédictine, en raison de la faiblesse des prieurs. La discipline ne sera rétablie qu'en 1341. Mais l'importance stratégique de Pommiers y amène les grands de ce monde, car la guerre de Cent ans sévit et n'épargne pas la région.

En 1351, Jean Ier de Bourbon, enfant, est hébergé à Pommiers alors qu'il allait se prieuré de Souvigny au château de Clepp. En 1429, les Grandes Compagnies qui ravagent le Forez s'emparent momentanément de Pommiers, et pour se défendre d'elles, il fau renforcer les poternes et agrandir le pont sur l'Aix. Les troupes royales, venues en Roannais combattre la Praguerie, n'épargnent pas plus Pommiers. Charles VII après avoir conclu à Cleppé un traité avec le dauphin, le futur Louis XI, et le duc de Savoie, vient à Pommiers, et une inscription moderne sur une poterne nous rappelle qu'à cette occasion il signa, en 1452, la *charte des immunités et franchises de la ville de Caen* (pl. 96).

La décadence de la communauté monastique est accélérée par l'institution de la commende : en effet l'attribution à de grands seigneurs de petits prieurés comme celui de Pommiers ne pouvait être que défavorable, car ils étaient trop haut placés pour vraiment s'y intéresser. Cependant l'évêque du Puy, Jean de Bourbon, prieur commendataire en 1385, qui, entre autres titres, est aussi abbé de Cluny, fils naturel de Jean Ier, a sans doute construit le petit palais prieural, sis près de l'église, d'aspect séduisant avec son portique à arcs ogivaux, ses fenêtres à meneaux, sa tourelle d'angle. Il s'agirait d'une *demeure des hôtes* comme celles qu'il a construites également à Cluny et à Paray-le-Monial. D'autre part, un religieux appartenant à une famille bourguignonne qui a donné en même temps un prieur à Rozier-Côtes-d'Aurec en 1565, fit décorer de fresques l'absidiole Nord de l'église. Ces fresques ont été malheureusement martelées par les Protestants, un lieutenant du baron des Adrets, Poncenat, s'étant établi pour un temps dans la ville voisine de Saint-Germain-Laval.

Enfin, au XVIIIe siècle, à l'exemple de Cluny, le monastère est reconstruit aux trois-quarts, l'aile Est, en particulier, avec son entrée majestueuse timbrée aux armes des Rostaing, donateurs, et son escalier à la belle rampe en fer forgé. En même temps l'aile centrale et la galerie du cloître sont rajeunies. La Révolution dispersera les derniers religieux. Toutefois, à l'époque moderne, on a su préserver avec un soin attentif les restes du passé, si divers, — aussi bien les propriétaires successifs du couvent que l'*Association des amis du Vieux-Pommiers* —, on a su encore aménager l'église en un temps où la chose n'était guère de règle et ce fait n'est pas si fréquent qu'il ne mérite d'être signalé.

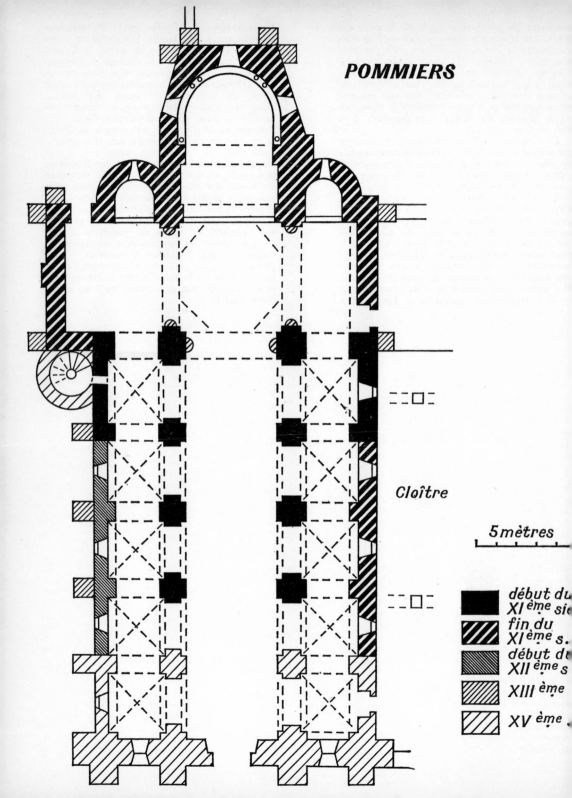

POMMIERS

Cloître

5 mètres

début du
XI ème siè...

fin du
XI ème s.

début de
XII ème s.

XIII ème

XV ème

VISITE

NOTES EN MARGE DE LA VISITE DE POMMIERS-EN-FOREZ

Cadre et aspect extérieur

C'est le bourg entier de Pommiers qui mérite la visite; il faut contempler la vue du village des bords de l'Aix (pl. coul. p. 148), le pont de la Valla, la porte du Pavé (pl. 96), les façades différentes de l'hôtel prieural, le cloître, qui tous ont leur charme. Mais cependant c'est l'église qui mérite de retenir le plus longtemps l'attention.

On admirera d'abord les masses harmonieuses et sobres du clocher. D'un type classique en Forez, il comprend deux étages sortant d'une souche aveugle, seul l'étage du beffroi étant ajouré de deux baies sur les quatre faces : jusqu'à hauteur d'appui de ces baies, il est seulement épaulé de contreforts. Deux clochers foréziens s'apparentent à celui de Pommiers, ceux de Saint-Romain-Le-Puy et de Champdieu, mais à Champdieu on a cherché à multiplier les colonnettes couplées, qui ici n'ont été employées que pour les retombées médianes.

Au Nord de l'église, nous trouvons les débris romains déjà signalés. L'aspect extérieur de l'église a été passablement défiguré par l'adjonction d'un grenier sur tout le collatéral Nord. Seul, l'appareil inférieur en blocage de granit régulier, animé par trois larges niches qui encadrent les fenestrelles de la basse nef, retiendra l'attention. Deux hautes travées rompent la monotonie du transept, mais une sacristie moderne cache l'absidiole. Le chevet est en forme de massif empâté trapézoïdal, alors que le chœur intérieur est semi-circulaire : nous avons signalé un type de chœur semblable en Velay, mais le parti de Pommiers se retrouve,

identique, dans l'église ruinée de Bourg-de-Thizy. Nous trouverons également, à l'intérieur de l'église, la preuve d'influences vellaves et provençales.

La façade, récemment remontée mais très fidèlement, ne tranche pas sur la simplicité des autres façades foréziennes; un trait toutefois lui est particulier, c'est la division tripartite.

Chantiers successifs dans la nef et les collatéraux

La nef, avec ses piliers cruciformes couronnés de simples moulures, traduit bien l'esprit bénédictin « fait de discrétion et de force dans la paix » (Dom Buenner) (pl. 87, 88, 89).

Pour distinguer l'édifice primitif, il faut d'abord faire abstraction de la première travée, ajoutée après coup. Ensuite, si on les examine avec une certaine attention, on observe que les piles de la nef ne se font pas rigoureusement vis-à-vis, et que les travées ne sont pas rigoureusement égales. Il faut supposer, à l'origine, l'existence d'une nef unique, puis on a dû passer au travers des murs pour créer les collatéraux, et les piles ont été ensuite reparementées, en même temps que les pilastres des collatéraux, car l'appareil est le même.

La nef primitive s'arrêtait à la cinquième travée, site de la croisée primitive, les collatéraux de cette travée formant les croisillons primitifs. En effet cette travée n'offre pas les mêmes dimensions que les quatre autres, et surtout la grande arcade est plus élevée que celles de la nef, et ses impostes sont à une hauteur plus grande que les autres. Un détail d'architecture indique le point de départ d'absidioles s'ouvrant à la dernière travée des collatéraux : la pile de la croisée qui, à l'Ouest, reçoit la retombée de la dernière grande arcade, présente sur sa face, dans le collatéral, à 1 m. 40, une imposte, sans utilité à l'heure actuelle, et qui ne peut s'expliquer autrement. En outre, au Sud, à un niveau correspondant à l'extrémité du transept présumé, on remarque une rupture dans la maçonnerie et une trace d'arrachement. Enfin, la fenêtre du transept présumé est plus étroite que les autres fenêtres du collatéral et accuse un style différent.

Que les collatéraux appartiennent à une autre campagne que la nef, cela se voit aussi à l'éclairage. La voûte de la nef, beaucoup plus élevée que celle des collatéraux, comporte des sortes de hublots étroits au dehors, fortement ébrasés à l'intérieur, caractéristiques des nefs provençales : Vaison, Thor, Saint-Paul-Trois-Châteaux, Saint-Victor de Marseille, et qui ne servent pas tant à l'éclairage qu'à l'aération (pl. 88). Les collatéraux sont éclairés par des fenestrelles plus importantes, encadrées par des arcades portées par des pilastres : parti vellave.

Toutefois les collatéraux appartiennent à deux chantiers successifs : celui du Sud est un peu plus étroit que celui du Nord, car il a été placé au droit de l'ancien transept, les bâtiments claustraux empêchant la même extension de ce côté.

Croisillons et chœur

Les croisillons actuels appartiennent à la même campagne que celle qui transforma la nef primitive. Le croisillon Sud, plus court que le croisillon Nord, est divisé en deux travées, l'une correspondant à l'ouverture de l'absidiole, l'autre plus au Nord : les murs de l'absidiole sont décorés de vastes arcatures murales encadrant de petites fenêtres (pl. 92) dont l'une, celle de l'Ouest, est aujourd'hui murée.

Comme d'ordinaire en Forez, le chœur est la partie la plus soignée : trois grandes arcatures murales retombent sur des colonnettes jumelées, ornées de chapiteaux encadrant des fenêtres (pl. 90). Mais, fait unique, les absidioles sont également décorées d'arcatures, aussi bien au Sud qu'au Nord. En effet, les peintures de l'absidiole Nord ont été exécutées sur un placage cachant ces colonnes.

Cependant colonnes et chapiteaux de ces arcatures, colonnes montées à la croisée, pour doubler les arcs qui la supportent, contreforts extérieurs du chevet, sont postérieurs à l'ensemble du monument et sans doute gothiques. En effet si les chapiteaux s'apparentent, par leur forme, au type cubique, ils sont décorés de boules et de crochets, ce qui est caractéristique de cette époque. Ces dates tardives s'expliquent fort bien, car des mouvements ont dû se produire qui ont nécessité la reprise en sous-œuvre des arcs de la croisée.

A l'angle de la croisée du transept, on peut voir, à l'instar de celle d'Ainay, où les colonnes de *l'autel d'Auguste* avaient été réemployées, une colonne au fût monolithe en marbre poudingue du pays, provenant d'un monument antique.

D'autre part, dans la voûte, au-dessus de la cinquième travée, qui était probablement le chœur des moines, sont disposés avec une asymétrie voulue vingt-neuf *échéas,* amphores de dimensions variables, prises dans la maçonnerie, et qui, ouvertes vers la nef, avaient pour but d'augmenter la résonance de celle-ci (pl. 93). Ce parti, d'origine orientale, est une survivance romaine. D'abord utilisé à Ainay, il est assez particulier à notre région : outre Pommiers, on le trouve à Saint-Thomas-la-Garde, à Néronde, puis, plus tard, à la collégiale de Montbrison.

Une autre manifestation d'archaïsme apparaît au-dessous des trois fenêtres de la grande abside : on y voit une tablette de pierre au bandeau autrefois très décoré, accompagnant jadis deux armoires creusées dans la muraille et destinées à la piscine ou aux objets de culte de *l'autel matutinal, altare de retro,* adossé au centre du chevet (pl. 90). Ce sont là des traces d'une liturgie clunisienne primitive, fort peu conservée ailleurs qu'en Forez; un autre exemple se rencontre à Chalain d'Uzore.

Mais le fait d'archaïsme le plus curieux est la corniche de la façade méridionale, faite de dalles carrées que supportent des corbeaux de terre cuite à figures ébauchées, ornementation qui se prolongeait dans le cloître. Ces corbeaux, de forme fruste, présentant des animaux à la gueule menaçante et aux yeux globuleux, évoquent l'art celtique, car ils s'apparentent aux chenêts gallo-romains à masque de bélier qu'a étudiés Déchelette. Comme eux, et comme les gargouilles traditionnelles, ils avaient sans doute valeur de santé et de sécurité (pl. 95).

Fresques

A part ces animaux archaïsants restés en place, le décor de l'église est représenté par des fresques plus récentes, décor qui devait être plus important autrefois. C'est encore, comme à Saint-Romain-Le-Puy ou dans l'abside du Puy, l'idée de la Passion du Christ et des martyres de saints qui devait dominer.

En effet, une fresque ornant la face Ouest du troisième pilastre Sud de la nef réunit deux scènes, le portement de Croix et le martyre de saint Sébastien. Bien qu'elles soient un peu effacées, on peut rapprocher leur facture de celle des fresques de la garde-robe du Palais des papes d'Avignon. Des artistes d'Avignon étaient venus travailler à la Chaise-Dieu, le pape Clément VI, pape d'Avignon, qui avait été abbé de la Chaise-Dieu, ayant gardé des contacts avec cette abbaye, et ils ont pu venir aussi à Pommiers.

Les fresques de l'absidiole Nord, malheureusement très restaurées, sont peut-être l'œuvre d'un artiste de même origine, quoique certains thèmes rappellent Jean Fouquet. Toutes les scènes, scènes de l'Enfance, de l'ensemble situé à droite, scènes de la Passion, du panneau de gauche, sont centrées sur l'idée de la Crucifixion. Chaque paroi comporte une double série de panneaux jumelés et superposés que divisent à l'extérieur des colonnettes ou des pilastres corinthiens Renaissance.

Or toutes les scènes, sauf deux, se lisent de gauche à droite et de haut en bas : à droite Annonciation, Nativité, Adoration des Mages, Présentation au Temple, à gauche, Rameaux et Cène; seules, les deux scènes de Gethsémani et de la Crucifixion se lisent à droite et à gauche. Cette disposition est intentionnelle : en effet l'abbé donateur protégé par son patron saint Amand, représenté au centre dans une niche, ainsi que le Christ de Gethsémani qui se résout à boire la coupe, tournent l'un et l'autre leurs yeux vers le Christ en croix. Or, sur certains ivoires, tel le dyptique de Soissons, on voit de même toutes les scènes de la Passion s'enchaîner de la gauche à la droite sauf celles qui comportent au centre la Crucifixion afin de mieux mettre en valeur, en fonction du sens favorable attaché à la *gauche,* le grand degré d'infamie où est tombé le Fils de Dieu. Si, de même, dans les scènes de l'Enfance, on a particulièrement mis en valeur la Présentation, en haut et à droite, c'est pour montrer que la victime sainte s'offre au sacrifice pour tous.

Autres restes
Cancel de Pommiers

A côté de l'église conventuelle existait une église paroissiale, qui serait contemporaine du premier chantier de l'église, transformée depuis un siècle en maison d'habitation : on peut voir son curieux appareil en galets roulés et trois des fenêtres qui l'éclairaient. Si l'église principale est placée sous les vocables des protecteurs de Cluny, saint Pierre et saint Paul, celle-ci est consacrée à saint Julien de Brioude.

D'autre part pour compléter la visite de l'église, on aura intérêt à visiter le *musée du Vieux-Pommiers,* qui présente, entre autres restes dignes d'intérêt, deux corbeaux en terre cuite (pl. 95), des chapiteaux de l'ancien cloître et surtout un débris de *cancel* (pl. 94).

C'est une plaque de forme rectangulaire ornée, en faible relief, de deux motifs superposés de luttes animales, rappelant celles de la frise gallo-romaine du Puy, séparés par une frise de palmettes dirigées dans les deux sens. Au registre supérieur, une gazelle fuit un lion à la queue de feuilles et au-dessous un oiseau bizarre se trouve face à face avec un autre lion, tous deux se trouvant inscrits dans des rubans doublés, entrelacés et noués.

La sculpture de ce cancel est d'une facture plus savante que la plupart des restes préromans du Forez, dont font partie en particulier les frises de Saint-Rambert. Cependant cette plaque provient certainement aussi de Lyon, mais au lieu d'être contemporaine du premier chantier d'Ainay, comme c'était le cas pour la frise de Saint-Romain, elle doit être de la même époque que l'abside de cette église, où l'on trouve les mêmes types de palmettes, des animaux aussi savamment traités que ceux du registre supérieur, d'autres inscrits de la même façon dans des rubans doubles et entrelacés. A la date de la consécration d'Ainay, le prieuré de Pommiers, toujours dépendant pour sa nomination de Nantua, venait, dans l'ordre de Cluny, d'être rattaché à la chambrerie de Lyon.

Autre analogie avec Ainay : si le programme d'ensemble de l'abside d'Ainay est l'une des plus savantes et complexes imitations sculptées des fresques absidales de Baouit, le thème de la gazelle fuyant le lion provient aussi d'un graffito de Baouit. Elle y est accompagnée d'un texte qui en éclaire le symbolisme : la gazelle symbolise *l'âme fuyant le lion, le démon.* Sauf la direction contraire prise par la gazelle, dans les deux cas la composition est identique, les deux animaux encadrent un arbre, et la gazelle paraît sortir du tronc de l'arbre.

Mais, à Ainay comme à Pommiers, l'imitation est loin d'être littérale, les moines ayant beaucoup enrichi la pensée contenue dans l'original. A propos des hommes du Puy s'agrippant aux feuilles, nous avons dit que les feuillages avaient valeur de fécondité : l'idée de fécondité se manifeste de diverses façons ici, par la queue de feuilles du lion, par le surgeon qui sort du tronc de l'arbre et dont la gazelle paraît sortir, par l'arbre aux deux branches, enfin par les liens entrecroisés eux-mêmes. Or un texte du *bestiaire* nous décrit un animal mythique, l'*aptalos,* assez mal caractérisé, dont on dit seulement qu'il porte de longues cornes; l'*aptalos* représente l'être faible qui se laisse séduire par les voluptés du monde, car s'il a le malheur de se perdre dans la forêt, image du monde, ses cornes s'accrochent aux branches et il se livre aux coups des chasseurs. En raison de l'imprécision de texte du *bestiaire,* en Occident, on rencontrera plus fréquemment le cerf poursuivi soit par un centaure, ainsi à Saint-Gilles du Gard ou à Serrabone, soit par des chasseurs qui le dirigent vers un filet, par exemple sur le tympan de Saint-Ursin de Bourges. On trouvera encore le thème de Saint-Ursin sur des tapisseries flamandes de la Renaissance avec des légendes explicatives.

161

D'autre part, sur la plaque de Pommiers, outre la scène inspirée par le modèle copte, un second groupe animal inscrit dans des rubans entrelacés se rapproche des motifs de l'abside d'Ainay.

Dans cette dernière, on voit, d'une part, à la base des pilastres, des animaux et des personnages rappelant les Vertus des arcs triomphaux des absides coptes et, comme elles en rapport avec le monde : ce sont les vertus que l'on doit pratiquer dans l'ordre terrestre, si l'on veut mériter le salut. Au-dessus, sur trois des pilastres, les frises d'animaux inscrits dans les rubans entrelacés, représentent le monde racheté au dernier jour, car ces frises se terminent par l'Agneau divin.

Sur la plaque de Pommiers, la disposition est inversée. La lutte de la gazelle et du lion représente l'ordre du monde, et c'est le motif inférieur — qui répète d'ailleurs le motif supérieur avec quelques différences significatives — qui a un sens apocalyptique.

Ainsi, dans le premier cas, la gazelle paraît vaincre les forces de fécondité qui la menacent, en s'enfuyant vers la droite, de la même façon que la pratique des vertus nous aide à vaincre le monde. Au-dessous la gazelle est remplacée par un oiseau à tête de serpent, ce qui indique la résurrection. C'est encore l'âme, comme la gazelle, mais elle paraît se livrer sans crainte aux coups d'un lion qui n'est plus le lion à queue de feuilles, mais un lion à gueule menaçante qui se prépare à l'avaler. En effet, la disposition est différente car l'oiseau fait franchement face au lion. Ici, en acceptant son sort funeste, l'âme attend le Christ qui finira par l'emporter au dernier jour.

Cette analyse prouve combien le symbolisme roman est subtil, et que ce n'est pas la modestie du format ni la réduction des sujets qui entraîne nécessairement la pauvreté de la pensée.

DIMENSIONS

Largeur de la nef : 4 m 20.
Largeur du collatéral Nord : 2 m 50.
Largeur du collatéral Sud : 2 m 10.
Dépassement du croisillon Nord : 1 m 40.
Largeur de l'abside : 4 m 20.
Profondeur de l'abside : 4 m 70.
Largeur de l'absidiole Sud : 2 m.
Profondeur de l'absidiole Sud : 1 m 90.
Largeur de l'absidiole Nord : 2 m 25.
Profondeur de l'absidiole Nord : 1 m 60.

TABLE DES PLANCHES

164

67

68

70

77

78

84

85

86

POMMIERS

92

94

95

97

ROZIER CÔTES D'AUREC

98

102

103

114

115

ROZIER-COTES D'AUREC

La table des planches illustrant ce chapitre se trouve à la page 164.

Il faut vouloir aller à Rozier, tant ce village semble perdu et comme situé au bout du monde. Il y gagne en calme, en vérité, en simplicité.

L'église est un modèle d'harmonie : ses proportions satisfont le regard et l'on s'y sent à l'aise pour prier.

Certes, quelques aménagements — au reste plus ou moins prévus — se révèlent nécessaires : outre la suppression de la chaire, on souhaiterait un autel mieux accordé à l'édifice, qui laisse le chœur s'épanouir, ample dans son étroitesse, et lui restitue son visage authentique, sa finalité véritable.

Jeter un coup d'œil distrait, rapide, à Rozier, serait côtoyer un trésor sans le voir. Il serait sans doute difficile de trouver monument plus religieux, plus recueilli, plus sacré que ce dernier.

ROZIER·COTES D'AUREC

L'église de Rozier-Côtes d'Aurec est des plus modestes, et on ne sait pas grand'chose sur ses origines, dates de fondation ou de construction. Mais c'est cependant un des édifices les plus captivants du Forez; situé à la limite du Forez et du Velay, et sur un territoire dépendant à des titres divers du Puy et du comté de Forez, il reflète très spécialement le jeu des lointaines influences.

L'église est intéressante d'abord par son architecture bien conservée et plus homogène que celle des églises précédentes, qui ont reçu des agrandissements successifs, mais plus encore par sa sculpture. D'abord elle est une des rares églises du Forez qui présente à l'entrée un tympan sculpté, et comme celui du portail d'Aiguilhe, le thème de ce tympan est traité de façon presque identique à celui d'un tympan espagnol. Ensuite elle comporte une série de chapiteaux sculptés, où se manifeste comme précédemment l'influence de la vallée du Rhône. Mais alors que sur les frises et les chapiteaux de Saint-Romain-Le-Puy, comme sur le cancel de Pommiers, le répertoire, presqu'exclusivement animal et végétal, s'expliquait par l'influence lyonnaise, sur les chapiteaux de Rozier la place importante donnée à l'homme est due à l'influence des églises viennoises.

Comme nous l'avons vu précédemment à propos du cancel de Pommiers, c'est toujours l'influence copte qui se manifeste, et sur les trois chapiteaux de la nef transparaît, comme sur ceux de Saint-André-le-Bas, l'idée des étapes, et l'opposition de la vie contemplative à la vie active. On retrouve dans les deux églises, avec une disposition presque identique, sur le premier chapiteau, *l'ordre terrestre* (Samson ou la lutte contre la bête), *l'ordre intermédiaire* (Job ou le détachement des contingences terrestres), *l'ordre céleste* (David ou la Jérusalem céleste, la contemplation).

Toutefois certaines différences apparaissent. Nous avions observé à Saint-Romain-Le-Puy que les thèmes manifestaient une certaine tendance à l'abstraction qui trahissait l'influence celtique ; et nous avons attribué à la même influence la nudité presque totale de l'église de Pommiers. Ici, l'influence celtique se reflète dans l'aspect nouveau qu'ont pris les thèmes de Vienne : le loup androphage a remplacé le lion de Samson ; l'allégorie assise de Vienne est devenue un personnage orant qui s'élève au ciel et porte la bourse de Teutatès ; à sa gauche, on trouve le serpent cornu gaulois, attribut de Cernunnos. Dans l'abside, où les influences antiques sont très évidentes, nous voyons sur un chapiteau un personnage nu auquel on a voulu, par certains artifices, donner l'allure d'un géant, et qui est très certainement la caricature d'un dieu celtique.

Si les symboles celtiques se sont ainsi adaptés à l'expression de l'idée des étapes, c'est que la mystique chrétienne n'a fait qu'appuyer et nourrir la foi en une vie future qui était celle des anciens Celtes.

HISTOIRE

NOTES HISTORIQUES SUR ROZIER-COTES D'AUREC

Si le village de Rozier n'est pas aussi riche en souvenirs historiques que celui de Pommiers ou que la butte de Saint-Romain, nous aimerions avoir quelques précisions sur la date et l'histoire de sa remarquable église, et nous ne sommes guère comblés : seuls, quelques indices viennent expliquer le jeu des influences lointaines, si sensibles dans l'iconographie de cette église, en particulier des influences venues de Vienne et du Puy.

Rozier est un prieuré de Cluny, mais c'est seulement à partir du XIIIe siècle qu'il a reçu des visites des supérieurs clunisiens. Rien n'indique sa date de fondation et il n'est même pas inscrit au cartulaire de cette abbaye. D'autre part, Rozier fait partie du diocèse du Puy et dépend de l'archiprêtré de Monistrol.

Mais, à partir de 1061, il constitue avec Aurec une enclave forézienne, et il dépendra dès lors de l'élection de Montbrison.

A cette date, le comte Artaud V donne en même temps ces deux localités à l'abbaye Saint-Michel de la Cluze en Piémont, fait qui met en valeur la permanence des grandes voies d'influence.

En effet, la dépendance de Rozier et d'Aurec vis-à-vis d'une abbaye piémontaise, consacre des relations plus anciennes ; la célèbre voie de l'étain, si importante à l'âge du bronze, passait par l'Italie et se dirigeait vers les Iles Cassitérides. Or nous avons indiqué le trafic intense qui se produisait en amont d'Aurec, à Bas. Ce trafic n'empruntait pas seulement la voie de la Loire, mais aussi la voie de terre en direction du Massif Central, et divers faits montrent son existence.

L'une des plus célèbres voies romaines à sortir de Lyon, la voie Bollène, passait en eff par Rozier, Saint-Bonnet-le-Château, Usso (*Icidmago*), Pontempeyrat (*Pons Imperatoris* Elle se dirigeait ensuite vers Le Puy et le Mid mais d'Usson une autre bifurquait sur Clermon

Les voies romaines n'ont cessé d'être utilisé au Moyen-Age, et nous voyons que la vo Bollène a été empruntée ensuite pour la transl tion des reliques de saint Bonnet de Lyon Auvergne. Cette translation explique le nomb considérable de toponymes au nom de ce sai de Saint-Bonnet-les-Oules en Forez, jusqu Saint-Bonnet-le-Bourg ou Saint-Bonnet-l Chauriat en Auvergne, chaque lieu où la reliq est censée s'être arrêtée ayant pris le nom saint.

Ces faits indiquent déjà des relations av l'Italie et la vallée du Rhône, mais un autre fa met en valeur également une relation av Vienne. Une des originalités de l'église Rozier est son tympan sculpté et ce tympa représente les Rois Mages adorant l'Enfa présenté par la Vierge (pl. 99). Le même suj se retrouve en Dauphiné au tympan l'église de Royans. Or, la famille vella des Roys, parente des Royans en Viennoi était possessionnée à Rozier. Les Roys, comm les Royans et aussi les seigneurs des Baux Provence, se disaient descendants des R Mages, et il y a tout lieu de croire que c'est souvenir de leurs « ancêtres » que ces hobereau Roys et Royans, ont fait sculpter l'Épiphan à l'entrée de leurs églises.

D'ailleurs ces rapports, soit avec Vienne so avec Lyon, se manifesteront à la fois sur

218

plan économique et artistique jusqu'à la Renaissance et n'intéresseront pas seulement Rozier mais aussi la région de Saint-Bonnet-le-Château dans son ensemble.

A la fin du Moyen-Age, la fabrication du drap a enrichi les habitants de la région de Saint-Bonnet et l'on sait que la matière première venait de la vallée du Rhône. Ainsi la curieuse crypte de Saint-Bonnet a été construite par un drapier enrichi, Bonnet Grayset, et certains détails de cette crypte prouvent l'imitation des cathédrales de Lyon et de Vienne. De même à Rozier, on voit aussi deux chapelles précédant le transept, qui datent de 1493. Or, si l'une, consacrée à Notre-Dame-de-Pitié comme de nombreuses chapelles nobles du Velay et du Forez, a été élevée par Falcon de Bouthéon, prieur de Rozier, parent de Jacques, prieur de Saint-Romain, l'autre est un don d'un marchand enrichi, Jacques Soleymieux. Cependant l'influence des grandes cathédrales du Rhône n'est pas si sensible dans ces chapelles que dans les églises voisines, telles Saint-Hilaire, la Tourette ou Saint-Nizier-de-Fornas.

Par ailleurs, on sait que les prieurs de Rozier dépendaient de Saint-Bonnet-le-Château, et nous avons le texte d'un accord conclu en 1290 entre Robert de Dalmas, seigneur de Saint-Bonnet, et le prieur, pour la répartition équitable de leurs droits respectifs : droit de garde au seigneur, droit de justice au prieur.

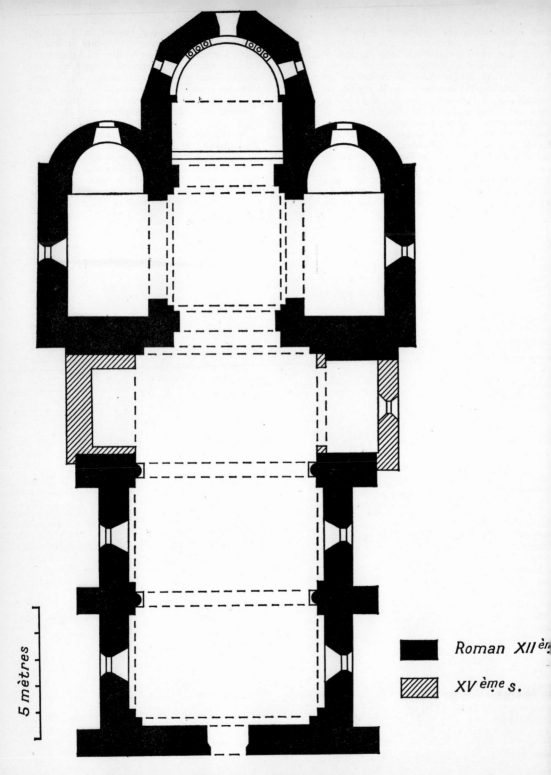

ROZIER - CÔTES - D'AUREC

Roman XIIème

XVème s.

5 mètres

VISITE

Coupole de la croisée

Nous n'avons donc aucun texte qui nous permette d'assigner une date à l'église de Rozier. Seul, l'examen de l'architecture nous donnera quelques indications.

Sans doute le plan de cette église, assez courant en Forez, ne peut guère donner de précisions. Elle se présente avec une nef unique comme L'Hôpital-sous-Rochefort, Jourcey, Saint-Romain-Le-Puy, Villerest. Elle comprend un transept à absidioles, une croisée surmontée d'une coupole et d'un clocher, un chœur précédé d'une travée droite plus large. Mais l'élévation pourra sans doute nous éclairer. En effet Mme Piédanna estime que la coupole de la croisée est du XIᵉ et elle en déduit l'ancienneté de l'église. Observons donc cette coupole en détail.

Malgré le plan carré de la croisée qui permettait d'élever une coupole rigoureusement hémisphérique, les premiers lits de la voûte sont tangents à la clef de l'arc d'encadrement. Ensuite, l'architecte a utilisé un procédé curieux consistant à établir une série de petits arcs en encorbellement, dont les arêtes ont été abattues, ce qui donne l'impression d'un pendentif (pl. 115).

Or les églises utilisant ce procédé s'échelonnent entre 1020 et 1070, et, d'après un texte du cartulaire de Savigny, on sait que l'église forézienne de Salt-en-Donzy, qui comporte une coupole de ce genre, date au plus tard de 1020. Pour Mme Piédanna la coupole de Rozier devait être contemporaine de celle-ci, d'autant plus que l'on discerne d'autres traits prouvant l'ancienneté, en particulier le petit appareil des murs de la nef et du chœur. De toutes façons, même si l'on admet pour la coupole la date la plus récente possible, on ne saurait selon elle dépasser 1080, date où les premières trompes appareillées sont établies à Saint-Étienne de Nevers.

Cependant, avant de nous faire une opinion, il nous faut étudier les différentes parties de l'édifice qui nous amèneront à le rajeunir.

Le chœur

L'ensemble de l'église intérieure présente cette particularité rare en Forez de nous livrer son appareil à nu sans badigeon, sauf la travée droite du chœur. Le chœur de Rozier, comme celui de Verrières, est un des rares du Forez à imiter littéralement le type des chœurs à pans extérieurs du Velay (pl. 104) : cette caractéristique est plus sensible qu'à Pommiers, dont le plan trapézoïdal était identique à celui de Bourg-de-Thizy. Ici encore, le chœur est la partie la plus soignée ; nous y retrouvons les mêmes arcatures murales encadrant les fenêtres que nous avons vues à Pommiers et à Saint-Romain, habituelles en Forez et en Velay (pl. 108). Ces arcatures sont en nombre variable dans les églises : elles sont ici au nombre de trois, ainsi qu'à Pommiers, Saint-Romain, L'Hôpital, Usson, Saint-Hilaire, Sail, etc... Souvent ce sont des colonnes jumelées qui supportent ces arcades : ici on trouve, à l'intérieur, deux colonnettes à fût conique encadrant un pilastre, tandis qu'à l'extérieur de simples consoles s'appliquent au mur. L'imitation de l'art antique est très visible dans cette partie de l'église : les pilastres sont cannelés à la manière de ceux d'Ainay, les astragales des colonnettes font corps avec le fût, ce qui rappelle l'art antique. Enfin, les chapiteaux qui surmontent les pilastres de forme plus allongée que ceux que l'on rencontre d'ordinaire en Forez imitent aussi l'art gallo-romain. Ils s'apparentent aux chapiteaux absidaux de l'église d'Usson, ornés d'écailles et de corde-lières.

La nef

Rozier est une des rares églises du Forez à nef unique, qui soit voûtée en plein cintre avec doubleaux, l'une des rares avec La Valette dont les doubleaux portent sur des demi-colonnes adossées à des piliers et surmontées de chapiteaux historiés (pl. 105, 106). Par contre — fait plus courant — cette nef est étayée à l'intérieur par des arcades portées par des pilastres, à l'extérieur par des contre-forts en grand appareil placés au droit des doubleaux (pl. 97). Trait archaïque : les murs de la nef et du chœur sont construits en blocage. Toutes les arcatures murales sont construites en grand appareil très soigné, et Rozier est, avec Joursey, Saint-Nizier-de-Fornas, une des rares églises foréziennes dont la nef nous livre son berceau nu construit en moyen appareil et en lits longitudinaux.

Le clocher

A l'extérieur, seule l'architecture du clocher attire l'attention. Ce clocher a été refait à l'époque moderne, mais la vue de l'*armorial de Guillaume Revel* nous révèle que la reconstitution a respecté en tous points les dispositions primitives. L'existence d'un clocher carré à la croisée est courante en Forez, mais en dehors de celui de Rozier, trois clochers seulement présentent deux étages ajourés de baies, à l'imitation des clochers des églises de Lyon et de Vienne : ceux de Saint-Rambert, Champ-dieu et Moingt. Cependant, à Moingt, le parti adopté est un peu différent car il est construit sur plan barlong, et les deux autres clo-chers diffèrent de celui de Rozier, parce que les baies se présentent par paires. A Rozier, le premier étage est décoré de deux baies par face, le second, de trois, et les retombées des baies se font au centre sur des colonnettes jumelées, aux deux extrémités sur des piédroits avec imposte, ainsi que nous l'avons vu à Pommiers. Un léger retrait, souligné d'un bandeau courant sous l'appui des baies, dé-limite le premier par rapport au second étage (pl. 97, 104). La disposition d'ensemble,

particulière à Rozier, nous paraît provenir de Saint-André-le-Bas à Vienne, église qui a inspiré le programme sculpté des chapiteaux. D'ailleurs, la route romaine allant à Saint-Michel-de-la-Cluze passait par Vienne.

Architecture : conclusion

En résumé, certains traits d'archaïsme : appareil des murs, procédé employé pour la coupole, contrastent avec d'autres traits qui paraissent évolués en comparaison avec d'autres églises foréziennes : soin de l'appareillage, forme des chapiteaux, voûtement de la nef, colonnes qui la supportent, importance du clocher. Nous avons noté certains rapports entre l'architecture de Rozier et celle des églises du Velay. Or nous avons vu que la cathédrale du Puy présentait certains traits d'archaïsme justement dans l'élévation des coupoles, et, à cet égard, l'église de Rozier n'a fait que l'imiter. En d'autres termes, compte-tenu des autres traits évolués que présente l'église, nous pen-sons qu'il faut assigner à cette coupole une date plus voisine de 1080 que de 1020, et nous pencherions pour la date de 1060, où les comtes de Forez se sont intéressés à Rozier et à Aurec.

Sculptures de la façade

L'ordonnance des thèmes est très savante dans l'église de Rozier : elle comprend les sculptures de la façade, principalement le tympan, en second lieu, les trois chapiteaux de la nef, un bas-relief qui devait d'abord être un devant d'autel, et un chapiteau du chœur. La sculpture est en général assez sommaire d'exécution, mais toujours très expressive, et comme le cancel de Pommiers, elle recèle une grande profondeur de pensée. A l'instar des grandes églises de Vienne, Saint-André-le-Bas et la cathédrale Saint-Maurice, où le programme sculpté est presque uniquement intérieur, les thèmes les plus nombreux et les plus riches de signification se trouvent dans l'église, et c'est toujours l'idée des *étapes* qui en constitue le centre.

Avec Saint-Médard, Rozier est la seule église forézienne qui possède un tympan sculpté. Ce tympan de Saint-Médard représentait un Christ entouré du tétramorphe, aux trois quarts détruit, dont il ne reste que la double mandorle.

Le tympan de Rozier présente à plus d'un titre un grand intérêt : d'abord, comme au portail de la chapelle d'Aiguilhe, comme dans les fresques de Brioude, nous y trouvons un souvenir de l'art espagnol. Le groupement maladroit des trois Rois à-demi agenouillés, très comparables aux Vieillards d'Aiguilhe,

222

disposition et la forme de l'étoile, rapprochent ce tympan de celui, presque identique, de Huesca en Aragon (pl. 99 à 101).

D'autre part, le groupe de la Vierge à l'Enfant imite assez bien la célèbre Vierge-reliquaire du Puy, ce qui, en soi, n'est pas étrange puisque Rozier est dans le diocèse du Puy. Les traits qui prouvent cette imitation sont : les visages aigus de la Vierge et de l'Enfant, le long manteau qui drape les épaules de la Vierge, les plis indiqués diversement pour la Vierge et pour l'Enfant, et, malgré le geste qu'il fait pour accueillir les Mages, la disposition du Christ dans le giron de la Vierge, leurs deux têtes étant l'une sous l'autre (pl. 101). Il n'est pas jusqu'aux deux boules de bois tourné qui terminent les bras du fauteuil, qui ne se retrouvent dans les médailles du pèlerinage.

Les Mages adorant l'Enfant-Dieu (pl. 100) symbolisent le paganisme en attente venant s'incliner devant la foi nouvelle, et la Vierge représente ainsi l'Église dans le monde. Au-dessus du tympan, un personnage vêtu en ecclésiastique, que l'on désigne d'ordinaire comme étant l'ermite saint Blaise, patron de l'église, est représenté orant (pl. 98). Il bénit de la droite, et tient de la gauche sa crosse tournée vers lui : ce détail indique que l'on a voulu figurer un abbé. Il symbolise ainsi l'Église hors du monde, et s'oppose au thème du tympan, de la même façon qu'à Bourg-Argental et à la Charité du Puy, saint Jacques, apôtre de la charité contemplative, s'opposait à saint Pierre.

L'étoile à huit branches qui domine l'Adoration des Mages, est le signe de la gloire future qui attend le Christ lorsqu'au dernier jour il prendra possession du monde rétabli. L'idée du monde soumis au Seigneur est indiquée en outre par la représentation d'un *miroir du monde* assez dégradé, au sommet de la façade, dans la frise sculptée ornant le cavet de la corniche (pl. 102) ; de telles corniches — ou même la présence de modillons sculptés — sont exceptionnelles en Forez : on n'en trouve guère qu'à Saint-Rambert et Champdieu. Or, au-dessus du Christ au tétramorphe du tympan et de l'Adoration des Mages du linteau, à Bourg-Argental, nous trouvons à la fois les Vieillards, représentant les élus, dans des cercles entiers, et les signes du zodiaque dans des demi-cercles, qui signifient, comme ici le miroir du monde, les sphères soumises au Seigneur. D'autre part, une frise intérieure de la cathédrale Saint-Maurice de Vienne associe pareillement divers épisodes du cycle des Mages — Arrivée à cheval, les Mages devant Hérode, Adoration des Mages — et un zodiaque assez curieux.

Les deux idées principales de cette façade, d'une part, l'opposition de la vie active et de la vie contemplative, ensuite celle du Christ de l'Apocalypse, maître du monde, nous allons

les retrouver à l'intérieur de l'église, la première dans la nef, la seconde dans l'abside.

Chapiteaux de la nef

Les chapiteaux de la nef sont l'imitation, naïve et profonde à la fois, des chapiteaux de Saint-André-le-Bas. Si, dans les deux églises, nous trouvons trois chapiteaux à sujets, la quatrième corbeille restant vierge de tout thème iconographique, et si, malgré une disposition un peu différente, les trois thèmes se présentent dans un ordre identique et se lisent dans le sens des aiguilles d'une montre, c'est bien en fonction d'une intention iconographique ; c'est toujours afin d'exprimer l'idée primordiale des trois étapes de la mystique ou encore celle des trois vertus théologales, mettant en valeur la supériorité de la vie ascétique.

D'abord l'idée de la lutte avec le monde est exprimée par l'image d'un homme étendu sous un lion qui s'apprête à le dévorer (pl. 109). Le même homme luttant contre la bête, à Vienne, est le héros biblique Samson, représenté de façon plus habituelle en vainqueur écartant les mâchoires de la bête et posant son genou sur elle. Dans l'une et l'autre église, on trouve ce thème au Sud : or dans le Sud-Ouest et surtout en Espagne, des *hommes au lion* apparaissent sur les chapiteaux situés au Sud et représentent l'homme aux prises avec la vie. Le thème de Rozier présente de fortes analogies avec celui de Saint-Gaudens (Haute-Garonne).

Un second chapiteau de Vienne, qui se trouve aussi du côté méridional, représente Job sur son fumier raclant sa vermine sans écouter les sarcasmes de ses amis et de sa femme. Le chapiteau équivalent à Rozier est au Nord, en face de *l'homme au lion*. Job se trouve ici avec un homme et un chien qui le poursuivent de leurs cris et aboiements (pl. 110, 111). Job incarne l'homme qui s'est détaché des biens et des péchés du monde et il représente la voie du salut qui nous ouvre la contemplation des réalités supérieures.

Le troisième chapiteau nous montre l'accès à ces réalités supérieures et il se présente encore un peu différemment dans les deux églises. A Saint-André-le-Bas c'est le seul chapiteau élevé, situé au Nord. On y voit un personnage imberbe, aux longs cheveux, assis dans une attitude majestueuse, sous une arcade ornée d'un décor d'architecture complexe, et tenant de ses mains levées une tour dans chaque main. Il est précédé par un chapiteau d'une arcade inférieure, représentant deux femmes allégoriques aux jambes croisées qui portent, l'une une épée, l'autre un livre. Il faut penser que ces deux dernières représentent l'Ancienne et la Nouvelle Alliance, alors que le personnage orant symbolise la Jérusalem céleste. Le chapiteau correspondant de Rozier nous montre

223

un homme qui s'élève au ciel, vêtu d'une robe, et porteur d'une bourse dans sa main droite (pl. 113, 114). A sa gauche apparaît le même dragon qui, au Puy, sur le pilier du chœur Saint-André, se trouve également à la gauche de l'homme résistant aux tentations du monde (pl. 112).

Malgré les analogies évidentes entre les programmes de Rozier et de Vienne, les différences apparaissent, non moins frappantes. Alors que les trois chapiteaux de Vienne rappelaient l'art grec et romain — Samson, le thème de Mithra taurochtone et le personnage assis, la Tutelle, divinité antique — les survivances celtiques sont visibles à Rozier ; la bête qui paraît vouloir dévorer l'homme n'est plus un lion mais un loup, et il reproduit assez exactement le loup androphage, et le dragon qui se trouve à côté de l'orant est la reproduction du dragon cornu gaulois. On peut même penser que la signification des thèmes n'est pas absolument identique à Rozier et à Vienne. A Vienne, l'idée exprimée est en même temps celle des trois vertus théologales, et les thèmes représentés sont franchement bibliques. A Rozier, en isolant l'androphage, au Sud, des deux autres chapiteaux, au Nord, on a voulu opposer mort du pécheur et mort de l'élu qui s'est détaché du monde.

Une plaque sculptée portant l'image du Christ qui doit venir, entre l'Alpha et l'Oméga décorait l'autel, et on peut la voir, déposée dans une chapelle (pl. 116, 117). De même que les apôtres, d'inspiration byzantine, du cloître de Moissac, il est inscrit sous une arcade.

Nous avons vu combien les imitations de l'antiquité étaient visibles dans l'abside. On voit représenté, sur un chapiteau, un dieu de l'antiquité, peut-être un Thor ou un Teutathès celtique, nu, porteur d'une hache — qui remplace le maillet de Teutathès — et d'un pic avec quoi il menace à sa droite un arbuste, à sa gauche un sarcophage (pl. 107). C'est l'image du paganisme et du mal que le Christ est venu abolir, et pour indiquer le châtiment qui l'attend, de sa bouche sortent des serpents. D'après le docteur Bachelier, l'arbuste qu'il menace, serait le Y des Pythagoriciens, et l'instrument qu'il porte dans sa main droite serait aussi un symbole pythagoricien, l'*ascia* repris par saint Irénée dans un sens moral : ce sujet repris du paganisme aurait un sens très subtil et savant : il représenterait un génie de la mort et de la survie dans l'au-delà (*OGAM*, t.x, 1958).

DIMENSIONS

Largeur de la nef : 7 m 70.
Profondeur de la nef : 14 m.
Côté du carré du transept : 4 m 30.
Largeur d'un croisillon : 4 m 70.
Profondeur d'un croisillon : 4 m 70.
Largeur d'une absidiole : 2 m 90.
Profondeur d'une absidiole : 2 m 30.
Largeur de la travée du chœur : 4 m 40.
Profondeur de la travée du chœur : 2 m 30.
Largeur de l'abside : 4 m.
Profondeur de l'abside : 2 m 20.

CHAMALIÈRES

La table des planches illustrant ce chapitre se trouve à la page 244.

SITUÉ *dans le cadre attachant de la vallée de la Loire, le village de Chamalières se limite à quelques maisons, encore celles-ci forment-elles écran et risquent-elles de masquer l'église au regard du touriste pressé qui manquerait ainsi de remarquer une église singulière qui mérite assurément d'être vue et calmement visitée.*

L'intérêt majeur de l'édifice réside sans doute dans son chœur, dont les proportions peu communes, sous l'immense et unique cul-de-four de la voûte, ne sauraient laisser d'impressionner.

Tous ceux qui, avec nous, jugeront cette partie de Chamalières surprenante, doivent se rendre à Saint-Paulien : ils s'y pourront faire une idée de l'architecture entière que postule une telle audace. Rompant un principe de cette collection, nous avons tenu à donner deux vues de Saint-Paulien parmi celles de Chamalières, pour permettre une comparaison aussi instructive que nécessaire. Comment n'être pas conquis par des monuments aussi remarquables et somme toute fort peu connus, fort peu vantés ?

L'art roman n'a pas fini de nous surprendre ! A l'intérieur de ses structures, apparemment simples, il sait varier à l'infini ses visages. La vie, chez lui, comme toute vie véritable, est constante manifestation de recherches, d'audaces, permanente invention d'indispensable liberté.

PRÉSENTATION DE CHAMALIÈRES

Qu'on la fasse par la route ou mieux encore par chemin de fer, la remontée de la vallée de la Loire de Saint-Étienne au Puy reste gravée dans la mémoire, tant elle frappe le touriste par sa grandeur. En voiture on apprécie les routes sinueuses qui la sillonnent; elles interdisent sans doute de faire de la vitesse, mais décuplent le charme du voyage à qui sait encore flâner. Mais c'est par le train que l'on apprécie le mieux les variations perpétuelles du paysage : d'abord le vaste bassin de Bas et de Monistrol avec ses multiples lignes de hauteurs qui composent comme un décor théâtral, avec au premier plan, le célèbre château de Chalencon, et au fond les monts du Forez; puis de brusques étranglements avec des rocs escarpés souvent couronnés comme dans la vallée du Rhin par des ruines. Mais la joie la plus grande est produite par la brusque apparition de l'église de Chamalières à la sortie d'un tunnel (pl. 118); son village pittoresque aux bords de la Loire, souvenir vivant du Moyen-Age, est dominé par les monts Mione et Gerbizon et par les ruines du château d'Artias. |

Dans la région forézienne et vellave, comme on a pu en juger, rares sont les églises homogènes riches d'un décor authentique; on a plutôt de nombreux débris, souvent minimes et d'intérêt inégal. L'édifice le plus célèbre, la cathédrale du Puy elle-même, n'est somme toute qu'une copie, malgré les restes importants du passé que comportent surtout ses entrées. L'église de Chamalières est l'un des rares ensembles importants qui soit presque intact — les réfections intéressent surtout le clocher — et l'on a même rouvert récemment une porte dans le mur Nord, qui permet d'accéder à un jardin et à un cloître aux colonnes géminées et à chapiteaux végétaux (pl. 127). Ce que l'on en peut voir nous suggère quelle séduction ce cloître devait offrir aux bords du fleuve.

Bien qu'elle ne couronne pas une hauteur comme la plupart des monuments romans de la région que nous étudions, l'église de Chamalières réunit tous les traits originaux de l'archéologie locale; elle peut même nous faire apercevoir quel devait être l'aspect de la primitive cathédrale du Puy : masses simples qui semblent sorties du sol à l'instar des prismes de lave phonolithique des « orgues » d'Espaly, couleurs variées de la pierre dont la mosaïque est cependant moins riche que celle d'Auvergne, portail en bois peint, abside importante.

Mais surtout le trait local, c'est l'ordonnance du décor, tant peint que sculpté, réparti dans les différentes parties de l'édifice, du portail au chœur, selon une gradation savante; les sujets mettent en valeur une certaine attitude spirituelle et morale en face de Dieu : comme plus tard à la Chaise-Dieu, tout parle de la mort à Chamalières, et en même temps, c'est toujours l'idée des étapes qui s'exprime, corollaire d'une méditation ascétique sur la fin misérable de l'homme.

On peut toujours discuter l'existence d'une école d'architecture vellave originale — de même que l'on ne fait pas cas en général d'une école lyonnaise — et surtout l'union que nous établissons entre Forez et Velay. C'est pourquoi s'il nous a paru assez frappant de mettre en parallèle le « Puy forézien » avec le Puy vellave au début de cet ouvrage, Chamalières vient maintenant comme la meilleure conclusion : mieux que Saint-Romain-le-Puy dont les imitations sont assez libres, cette église, qui présente particulièrement bien les caractéristiques locales, met en valeur, par son histoire, son architecture et son décor, la thèse de l'unité des deux régions.

Les rapports étroits, économiques, culturels et surtout historiques, entre Forez et Velay, ne sauraient faire de doute; les relations établies par les voies romaines, les sculptures et objets antiques trouvés en masse dans le sol à leur proximité, les rapports évidents de l'architecture et de la sculpture avec celles de Lyon et de Vienne à l'époque romaine (à cette réserve près que le Velay est plus près de l'antiquité viennoise, le Forez de l'antiquité lyonnaise), sont autant de faits incontestables.

Ainsi, il est significatif de voir les comtes de Forez fonder des abbayes cisterciennes aussi bien en Forez qu'en Velay. Guy II fonde Valbenoite à

Saint-Étienne, Guy IV la Séauve en Velay; la femme de Guy, Guillemette, fonde celle de Bonlieu à la limite des deux régions. On sait que le Puy a connu des cours d'amour à l'exemple des jeux floraux de Toulouse et le comte de Forez Guy II a protégé l'un des poètes, célèbre à son époque, de cette cour, le moine de Montaudon. Les marchands « fréquentant la rivière Loire » font suite aux *nautæ ligerici* de l'époque gallo-romaine, et ce commerce qui a son centre à Orléans et qui intéresse tout le cours de la Loire trouvera son apogée avec Jacques Cœur au XVe siècle. C'est à Saugues, non loin des frontières Sud du Velay proprement dit, que Guy III avec l'aide de Béraud, dauphin d'Auvergne, des sires de Chalencon, des sénéchaux de Beaucaire et de Rouergue, empêchera les ravages des Grandes Compagnies conduites par Robert Knolles. Celles-ci ne seront définitivement défaites que par du Guesclin, dont les entrailles seront déposées à Saint-Laurent du Puy, après sa mort à Châteauneuf-de-Randon. La Ligue trouve un appui fanatique aussi bien dans la noblesse forézienne, par exemple dans la famille d'Urfé, que dans celle du Velay, représentée surtout par Saint-Vidal : le Puy sera la dernière ville française, juste après Lyon, à résister à Henri IV. Conduite par les Chateaumorand, la noblesse vellave et forézienne s'unira pour défendre Jérusalem menacée par les Turcs. Enfin de nos jours, la ville de Saint-Étienne a été peuplée en grande partie par des populations venues de la Haute-Loire et tout le Nord de ce département est intéressé, comme les environs de Saint-Étienne, par l'industrie artisanale stéphanoise des passementiers. On pourrait multiplier les exemples montrant que Forez et Velay ont été sans cesse unis par des liens étroits.

Or ce n'est pas seulement par son style, son architecture, que Chamalières prouve l'unité des deux régions. Située dans l'axe précis où les édifices ont le plus de traits communs, son histoire prouve qu'elle a servi de centre vivant pour le Velay Nord, car le prieuré a été comblé de faveurs par toute la noblesse des environs, et s'il a reçu des terres jusqu'en Roannais, bien que le pèlerinage du Puy ait assez vite éclipsé le sien, les nobles ont prouvé ainsi qu'ils n'avaient pas oublié ses reliques célèbres et ils se disputeront le titre envié de prieur de Chamalières.

HISTOIRE

NOTES HISTORIQUES SUR LE PRIEURÉ DE CHAMALIÈRES

Nous avons la chance pour le prieuré de Chamalières de posséder le cartulaire publié par Chassaing, ancien archiviste de la Haute-Loire. Malgré certaines lacunes et des noms peu lisibles, ce document nous donne une juste idée de la vie religieuse dans le Velay septentrional, qui n'était pas aussi dominé que le Velay méridional par l'emprise du Puy. C'est en 1162 que le prieur Pierre III de Beaumont prit l'initiative de la rédaction de ce cartulaire, qui fut continué par Pons de Chacencon et Raymond de Mercœur.

Le site de l'église actuelle a été occupé primitivement par un oratoire consacré à la Vierge, exposé aux entreprises dévastatrices de Guy de Polignac, jaloux des richesses des moines.

Avec Godescalk, le fondateur de Saint-Michel-l'Aiguilhe, la renommée de cet oratoire marial ne cessera de grandir. Il trouvera son apogée avec Dalmace de Beaumont qui, en même temps que prieur, était abbé du Monastier, et cela bien qu'il ait réduit Chamalières au rang de simple prieuré dépendant de l'abbaye qu'il dirigeait. On sait que cette prospérité croissante fut due principalement au don qu'il fit des reliques de Saint Gilles d'Arles, fait qui témoigne des rapports du Velay avec le Midi. Déjà Chamalières était détenteur d'une relique inestimable, celle du Saint Clou, qu'on disait offerte par Charlemagne.

Cette notoriété explique l'afflux des populations, jusqu'à ce que le Puy l'emporte surtout à partir du XIIIe siècle, et aussi les donations répétées de terres faites par les grandes familles locales. Par exemple la famille des Beaumont,

dont le prieuré dépendait au point de vue juridique, puisqu'il se trouvait sur le territoire d'un fief dépendant de cette famille, lui fera d'importantes donations ; il en sera de même de la plus célèbre des grandes familles locales, la famille de Polignac, ou encore d'autres familles du Velay du Nord, les Roche-en-Régnier, possesseurs d'un étonnant nid d'aigles dominant le bourg de Vorey, les Rochebaron, les Montrevel. Chamalières reçut ainsi des terres et des dépendances qui allaient jusqu'à Saint-Anthème, Viverols dans les monts du Forez, jusqu'en Livradois (la région d'Ambert), à Saint-Bonnet-le-Château, Roanne, Givors vers la vallée du Rhône et, nous allons le voir, jusqu'à Bourg-Argental. Et non seulement il reçut des nobles des terres si éloignées, en sorte que l'on peut estimer à bon droit que son histoire justifie l'unité Forez-Velay, mais les mêmes grandes familles féodales se disputeront le titre de prieur.

Toutefois le petit nombre des moines qui lui était attaché, l'importance restreinte du village tranchent sur cette glorieuse destinée, et ce fait montre le goût pour le refuge dans la solitude, l'érémitisme, goût que le monachisme local doit vraisemblablement à son ascendance celtique et copte dont nous avons tracé les grandes lignes.

En raison du prestige dont a joui Chamalières et de l'illustration des personnages mêlés à l'histoire de nos provinces qui ont été ses prieurs, il y a lieu de passer en revue les plus importants d'entre ceux-ci, ceux surtout qui ont contribué à cet essor, et de mentionner les actes qu'ils ont accomplis, au moins de façon succincte.

Il n'y a pas lieu de revenir très longuement sur Dalmace de Beaumont, qui du reste abandonna le priorat de Chamalières en 946, pour se consacrer à sa charge d'abbé du Monastier.

Sous le priorat d'Amblard Ier (981-987), prieur puis doyen, mention est faite d'une donation de Gauzna, dame de Beaumont, en 986.

Sous Amblard II (986 - 999), une charte mentionne les dons d'Adhémar Blismodis, fils de Galbert de Mézères sous le roi Robert.

Dalmace II étant prieur (1035), il est fait état de la donation par Aubert, abbé de Saint-Pierre-Latour au Puy, de l'église de Saint-Flour en Auvergne.

C'est le prieur Ébrard (1082 - 1096) qui fit dépendre de Chamalières les églises de Saint-Maurice-de-Roche et de Saint-Pierre-du-Champ. Grâce à Héracle de Polignac et à sa femme Richarde de Montboissier, le prieur Jarenton obtint Saint-Jean de Rosières en 1096.

Le prieur Pierre III (1162 - 1172) appartenait à la grande famille des Beaumont qui se fondra en 1245 dans celle des Chalencon, au même titre que celle des Dalmace d'Auvergne, à laquelle appartenaient des prieurs déjà mentionnés. Pierre III de Beaumont croyait à la vertu des écrits : il commença la rédaction du cartulaire.

Le prieur Pons Ier de Chalencon appartient aussi à une grande famille bienfaitrice de Chamalières, et à son tour, sa famille se fondra dans une grande famille locale, celle des Polignac.

Autre membre d'une grande famille, Raymond de Mercœur (1212 - 1213) déléguera l'un de ses moines Durand Coiron à la garde du château de Mézères ; ce prieur a continué la rédaction du cartulaire.

Pierre V Aurelle accepta l'arbitrage rendu le 2 novembre 1231 par Roland, prieur de Saint-Romain-la-Monge, et Durand Coiron, obrier de Saint-Chaffre (Le Monastier). Autre fait qu'il y a lieu de signaler : la vente de la terre de Combre-d'Argental à Artaud Payan, prieur de Saint-Sauveur-en-Rüe. Cette mention est intéressante à plus d'un titre. D'abord parce que nous voyons ainsi s'étendre les dépendances anciennes de Chamalières à la région du Forez viennois, intermédiaire entre le Forez et le Velay, où nous avons signalé des ensembles typiques de l'iconographie locale, le portail de Bourg-Argental et les chapiteaux de Riotord, en particulier, cette dernière église dépendant du Puy. Et il apparaît ici une fois de plus à quel point Chamalières jouait un rôle de lien et de ciment au centre de cette mosaïque de fiefs et de prieurés dépendant de diocèses, d'abbayes et de suzerains divers, que constitue le Forez-Velay. En second lieu le Payan ici mentionné appartient à la famille qui a fondé l'ordre des templiers, fait qui démontre une fois de plus cette

attirance de l'Orient qui est une des constantes de la vie religieuse locale.

Enfin, ce qui prouve l'intervention de Chamalières dans des régions lointaines étrangères à notre région, c'est que l'arbitrage rendu le 2 novembre 1231 entre Pierre Datbert de Confolent et Bernard de Rochebaron, seigneur de Beauzac, avait pour objet la garde de Confolent.

Prieur en 1268, Guy de Montlaur appartient comme les Mercœur et les Rochebaron, à une grande famille de la Basse-Auvergne, fait qui rend sensible à quel point les nobles trouvaient honorable le titre de prieur de Chamalières. Un acte est mentionné à la même date : c'est le don en emphythéose, à trois frères, de la grange connue actuellement du nom de ces moines comme la grange des André. Ce fait est significatif à divers égards. Il montre d'abord la mémoire populaire, fait bien connu, mais surtout l'intérêt porté par le peuple aux moines ce qui ne s'est pas produit dans toutes les provinces au même degré : en fonction de la tradition érémitique locale, jusqu'à une époque récente, le peuple n'a cessé de vouer une grande vénération aux ermites confinés dans des lieux déserts, et on en connaît même, que signale Thiollier, qui n'appartient à aucun ordre connu. Les lieux que la tradition leur attribue s'appellent par exemple « pont de la sainte » ou « croix de l'ermite ». En outre ce nom d'André indique que si les prieurs étaient en général d'une haute extraction, les moines eux, devaient être des roturiers. André était un nom fort répandu, car saint André, nous l'avons dit, était le saint populaire par excellence.

A la fin du XIIIe siècle, le Puy est comblé de faveurs par les rois de France, parce qu'il est obligé de recourir à leur haute protection contre les constantes entreprises des bourgeois, jaloux des richesses que procure le pèlerinage. Ainsi Philippe-le-Hardi, à la suite de son expédition en Catalogne, établit un régime de paréage en attendant que Philippe VI de Valois restitue aux bourgeois l'institution honorifique et libérale du consulat, caractéristique des provinces méridionales, qui avait été abolie à la suite de la guerre des albigeois : on sait que le Puy était rattaché à la province de Beaucaire.

C'est pourquoi, par suite de cette primauté croissante du Puy, à partir de cette époque les actes du cartulaire nous montrent que les prieurs reconnaissent la suzeraineté de l'évêque soit en lui rendant hommage, coutume qui précédemment devait être tombée en désuétude soit par des transactions pour des terres particulières ou pour des droits de justice.

Ainsi en 1291, Gaucelin de Barjac fit une transaction avec l'évêque, qui lui réclamait la totalité des droits sur la justice de Beauzac moyennant abandon de ses droits de franc fief sur le prieuré. De même Ponce de la Garde, prieur de Chamalières et de Confolent, fit une autre transaction avec l'évêque du Puy pour justice haute et basse de Confolent. Ensuite on voit spécifier que Bernard de Mostruéjouls (1309-1310), originaire d'une famille de chevaliers du Rouergue, docteur ès-Décret, rendit hommage à l'évêque Bernard de Castanet, ce qui laisse entendre de toute évidence que tant que le Puy ne brillait pas d'un vif éclat, les droits de la ville suzeraine ne devaient pas toujours avoir été respectés.

Étienne Hugonet fit lui aussi une transaction avec l'évêque : prieur entre 1320 et 1352 et originaire également du Rouergue, il accorda aux habitants de Rosières et à leur chapelain, le droit de sépulture pour Guillaume de Chalencon, évêque mort au Puy — on sait que ses tombeaux étaient interdits à l'intérieur de la cathédrale —, les services des prébendes étant assurés par les chanoines de Saint-Agrève. Un autre prieur de la même famille, Bernard II Hugonet, prieur entre 1333 et 1334, fit don d'un moulin à Pierre de Mirmande.

Bien qu'appartenant à une grande famille, Hérail de Joyeuse, prieur de Chamalières et abbé du Monastier (1343 - 1344), reconnaît lui aussi la primauté du Puy. Il réside habituellement à la Bastide-de-Virac, car c'est un prieur commendataire. Il est en procès avec les moines de la Chaise-Dieu à propos des limites à établir concernant les terres dépendant du prieuré sises sur le territoire de Saint-Étienne-Lardeyrol. Jean de Chandorat, évêque du Puy, délègue Jean Bonamy, chanoine de Billom, pour préciser les limites.

Pierre IV de Nozières fit hommage par trois fois au Puy en 1366, 1385, 1389 ; au cours d'un long priorat qui dura de 1366 à 1398, il s'entendit avec l'évêque au sujet d'une pêcherie comportant une écluse que Jean Mazel créa à Peyregrosse-sur-Loire. Le saumon était donné pour un quart au prieur, pour un quart à l'évêque. C'est l'époque douloureuse des Grandes Compagnies et de la guerre de Cent Ans ; aussi en 1381 le prieur jugea-t-il nécessaire de faire fortifier le monastère par un certain Raymond Nicolas.

Odon du Bois eut à subir un malheur d'une autre sorte : une crue de la Loire ravagea ses terres. En outre il fut expulsé par le vicomte de Polignac ; ce dernier en dédommagement fit don à l'église d'un reliquaire en argent doré pour le Saint Clou.

Antoine de Flaghac, prieur commendataire par excellence (1524 - 1527), résidait habituellement à l'abbaye Saint-Antoine de Viennois dont il fut d'abord prieur, puis abbé.

Nicolas II Fay de la Tour-Maubourg (1598-1624) est contemporain des graves événements qui marquèrent, en Velay et Forez, les guerres de Religion, et qui finirent comme en Lyonnais par un triomphe durable mais tardif de la Ligue ; il fut mêlé à la tentative du Pont Saint-Gilles en 1594, qui fut funeste pour la noblesse du Velay.

Vital de Roux de Revel de Montbel, abbé de Revel (1674-1700), reçut la visite du célèbre bénédictin Dom Claude Estiennot, ce qui permit l'introduction du cartulaire dans l'encyclopédie célèbre que celui-ci publia, ainsi que dans le *Glossaire* de Du Cange.

Les derniers prieurs mentionnés sont Pierre VII de Soulage de Lamée, clerc de Carcassonne, et surtout Charles-Borromée de Laval (1774-1790). Celui-ci défendra la dépendance du Puy vis-à-vis du Saint-Siège contre son évêque ; en 1781 il participera à l'ouverture de la châsse de saint Georges et en 1786 aux états provinciaux. Il était en même temps prieur de Saint-Michel de Connexe où il mourut.

Si nous avons quelque peu insisté sur l'histoire de Chamalières, malgré l'importance inégale des faits mentionnés, c'est que, en comparaison de celle de la plupart des autres églises de la région, cette histoire est fort brillante. Cependant il ne faut pas penser qu'elle tranche de façon radicale avec celle d'autres églises ou chapelles locales : nous avons insisté sur le contraste entre le fait que Chamalières n'était qu'un prieuré aux moines peu nombreux, et d'autre part sur l'importance des terres qui en dépendaient et des titres de ses prieurs. De même c'est un contraste courant dans notre région et sur lequel il faut insister, que la renommée de très modestes sanctuaires appelant des foules lointaines alors qu'ils n'étaient desservis que par quelques moines isolés ou ermites, parfois même par un curé voisin.

Il n'est guère de département en France qui possède autant que la Loire et la Haute-Loire, de villages aux noms de saints, ce qui prouve la vitalité et l'éparpillement de la vie religieuse dans les campagnes en dépit de la centralisation au Puy. Quelques reliques dans une chapelle isolée comme celle de Chalencon, une statue de Vierge célèbre pour sa beauté telle celle de La Chirat ou de L'Hôpital-sous-Rochefort, ou par sa noirceur, telles celles de Valfleury ou la Pitié de Saint-Genest-Lerpt, parfois une pierre d'origine mystérieuse à l'instar de la « Pierre des Fièvres », pierre à écuelle par exemple, ou enfin une simple croix de carrefour où certains services tels que les enterrements ou les processions des Rogations pouvaient se dérouler, attiraient souvent des foules à certaines dates, venues parfois de très loin.

Citons notamment à la fin du Moyen Age, comme particulièrement significatif, le mystère de la Trinité à Paulhaguet, près des limites du Velay à l'Ouest, but de pèlerinages lointains, qui débordaient le cadre des deux départements et qui ont eu lieu jusqu'à nos jours. C'était autant un site naturel qu'un sanctuaire, comme c'est le cas des lieux saints de nos contrées, car il y avait là une simple chapelle desservie par le curé voisin au moment de la fête de la Trinité. D'origine celtique, le mystère célébré à Paulhaguet — il s'agissait, tel que nous le décrit le chanoine Pontvianne, autant d'un mystère de tradition païenne que d'une messe — a inspiré un phénomène curieux : la multiplication dans toute la région du Livradois aux abords de la Chaise-Dieu, de Saint-Bonnet, à Saint-Étienne et même près de La Batie — d'Urfé — dont la chapelle a été consacrée par Anne d'Urfé à la Sainte Trinité — de masques tricéphales (à trois têtes), ornant indifféremment des gargouilles ou des pinacles ; et la représentation, sous le mode traditionnel, de la Trinité, sur un pinacle de contrefort à Chomélix, nous montre bien par sa date qu'elle est une allusion à la création récente de la fête, création à laquelle l'évêque du Puy ne fut pas étranger. Le tricéphale est un thème d'origine celtique bien connu, répandu dans le Livradois à l'époque gallo-romaine, qui se retrouve ensuite à l'époque romane sur les frises de Lyon et de Vienne et enfin ressuscite ainsi à la fin du Moyen Age dans l'ensemble du Forez-Velay. Ce fait prouve une fois de plus la pérennité tant des vieilles coutumes et symboles d'origine celtique que de la vénération des sites naturels ou des pierres — il y avait un trilithe à la Trinité près de Paulhaguet —, tout cela, assimilé par le christianisme ; ici en effet la rupture avec la tradition créée dans le Sud-Ouest par la dramatique crise albigeoise n'a pas eu lieu. De même, de simples ermitages aux abords de Saint-Étienne, tels ceux de Chambles et d'Essalois, desservis par les camaldules, attirèrent à la fois des pèlerins et des touristes séduits par la beauté des lieux.

Enfin l'on citerait sans peine des prieurés, abbayes ou collégiales, célèbres dès l'époque romane, telles la collégiale de Brioude, les abbayes de la Chaise-Dieu et de La Bénisson-Dieu en Roannais, qui, souvent assez éloignées de notre région propre, ont cimenté de la même façon que Chamalières l'unité Forez-Velay et favorisé la pérennité de ces grandes voies d'influence dont l'origine remonte à l'époque gallo-romaine, voire celtique.

Et il faut noter que si La Chaise-Dieu a joué un rôle égal au Puy et si ses fastes ont été aussi notables, Brioude et surtout La Bénisson-Dieu ou Charlieu s'apparentent à Chamalières par le contraste entre les terres en leur possession, l'importance des sanctuaires, et d'autre part leur rang peu élevé dans la hiérarchie ecclésiastique : Charlieu et La Bénisson-Dieu en particulier avaient été ravalés au rang de prieurés après avoir été abbayes.

VISITE

NOTES EN MARGE DE LA VISITE DE L'ÉGLISE DE CHAMALIÈRES

Nous n'avons aucun texte concernant la date de construction de l'église de Chamalières. Le style de l'église atteste la fin du XIIe siècle, et l'on peut penser qu'elle a été élevée sous le prieurat de Pierre de Beaumont, nommé en 1162. Malheureusement les textes inclus dans le cartulaire de Chamalières qui pourraient nous en apporter la confirmation ont disparu.

Les voûtes de la nef encadrée par deux collatéraux, ainsi que le clocher, ont été refaits à l'époque moderne à partir de 1900 par l'architecte Nodet qui n'a eu qu'un but : restituer fidèlement l'aspect passé — et s'est inspiré, en particulier pour le clocher, de dessins précis.

Si la voûte de la nef principale s'était dans sa presque totalité écroulée, c'est que les collatéraux ne l'épaulaient en aucune façon. Il n'existe à l'heure actuelle qu'un seul doubleau en place, au profil rectangulaire. Il correspond aux seules colonnes surmontées des chapiteaux iconiques; ceux-ci représentent Daniel d'un côté, des sirènes de l'autre. Les voûtes détruites ont été refaites par Nodet en briques creuses.

Ainsi, dans son état actuel, l'église de Chamalières nous donne une idée fidèle de son aspect ancien. La nudité quasi cistercienne du décor, à part certains détails sculptés très réduits comparativement à ce que l'on rencontre dans la plupart des autres régions, surtout en ce qui concerne les chapiteaux, n'exclut pas la profondeur de la pensée. Celle-ci se réfugie sur les vantaux historiés de la porte en bois, les détails sculptés du collatéral Nord, le « bénitier des Prophètes », le « tombeau de l'évêque », ou les fresques absidales. En relation avec l'ampleur donnée volontairement au chœur, une

progression savante de l'entrée à l'abside se révèle dans ce programme iconographique à l'instar de ce que nous avons rencontré à la cathédrale du Puy, et l'on observe également que ce décor à la fois peint et sculpté, est bien l'une des caractéristiques de l'iconographie de notre région.

Façade et porte

Tout d'abord la *façade* est d'une grande sobriété (pl. 120). Ses lignes générales sont celles de la plupart des églises du Velay et d'un certain nombre d'églises du Forez. Elle présente un mur presque nu dont le décor architectural, au-dessus du portail, est constitué par trois arcades ; celle du centre abrite une fenêtre aussi large que le portail. Cette façade est terminée en pignon couronné par le toit à double rampant.

L'attention des pèlerins était attirée par les vantaux en bois peint de la *porte*, semblables à ceux du Puy, de Blesle et de La-Voûte-Chilhac. Malheureusement ceux que nous pouvons voir sont déposés dans l'église et fort dégradés. Le portail lui-même est aussi simple que possible, deux colonnettes soutiennent deux archivoltes, comme au Monastier. La seule recherche ornementale, ce sont les sphères qui ornent la gorge de l'archivolte extérieure, motif qui semble avoir eu une signification sacrée en relation avec une tradition celtique et qui se retrouve dans de multiples entrées ou chevets des églises du Velay. Au Monastier, il y a malgré tout plus de recherche, car les chapiteaux surmontant

237

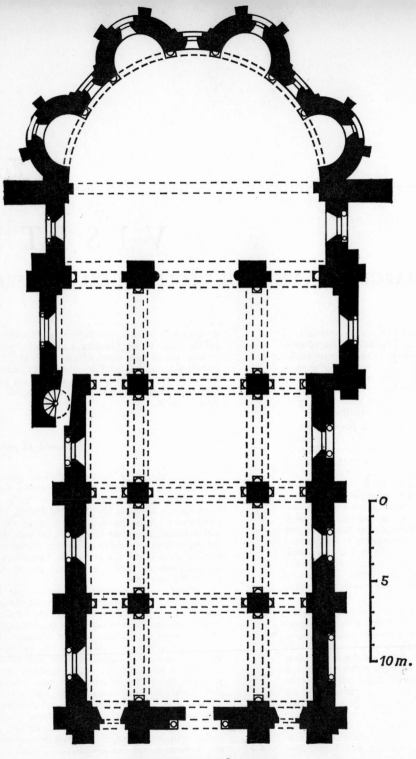

CHAMALIÈRES

les colonnettes, ici ornés seulement de motifs végétaux, portaient des personnages symboliques accompagnés d'inscriptions faisant allusion à Caritas, Mansuetudo..., donc vraisemblablement à l'idée des *étapes*.

Les motifs décorant les vantaux ne diffèrent guère de ceux que nous rencontrons sur les autres portes en bois sculpté. Au Puy, nous avons vu sur les vantaux de la porte Dorée des scènes de la Passion et de la Nativité, faisant allusion à la coïncidence de l'Annonciation et du Vendredi-Saint lors du Jubilé. A Chamalières, allusion à la Crucifixion, nous rencontrons comme à La-Voûte-Chilhac et à Blesle des croix à branches égales ornées de disques hémisphériques saillants.

Ces croix sont naturelles dans une entrée : sous la forme de mosaïques de pierres, des croix similaires à branches égales timbrent les tympans de l'église d'Ainay à Lyon, de Saint-Pierre de Vienne. De même à la chapelle Saint-Clair d'Aiguilhe, dite « Temple de Diane », un tympan en bâtière du XIIᵉ siècle présente, comme l'archaïsante croix de Saint-Étienne-le-Mollard dans la Loire, un chrisme encadré par les motifs traditionnels du soleil et de la lune. Elles s'expliquent par le rite de la consécration de l'entrée, et au lieu des représentations jubilaires à la cathédrale, elles font allusion au sacrifice du Seigneur commémoré dans l'abside par le sacrement de la messe.

Mais tandis qu'à La-Voûte-Chilhac ou à Blesle, portail qui présente le plus de similitude avec celui-ci, le décor n'était composé que par des entrelacs inscrits sur les bras de la croix, ou par des clous, on voit ici une série de sujets constituant un *miroir du monde* à la façon de ce que nous avons décrit au For... Ou du moins on les voyait, du temps de N. Thiollier qui reproduit et décrit une partie encore relativement préservée lorsqu'il a pu l'étudier.

D'après lui, étaient représentés, au sommet, comme sur les ogives de la voûte du For, des thèmes circulaires célestes, une marguerite signifiant la lune et, pour le soleil, une rosace entrelacée. Ces figurations cantonnant les croix supérieures, tandis qu'à la base, c'était un oiseau à trois têtes et un lion à tête retournée, attitude que Salin interprète à juste titre comme un signe de respect ou de terreur.

A la partie inférieure, un saint cavalier, sans doute saint Georges en lutte contre un dragon à cinq têtes, et encore divers animaux monstrueux, lion ailé à queue retournée, oiseaux à queue de serpents etc... Ces motifs s'inspirent sans doute des textes de l'Apocalypse qui nous parlent des animaux monstrueux qui nous dévoreront au dernier jour : « chevaux à tête de lion et à queue de serpent qui font du mal par leur bouche et par leur queue » et que montent des cavaliers armés. Mais ils prennent des libertés avec eux. Fauves et rapaces, cavaliers luttant contre des montres s'inspirent des

motifs de tissus, d'objets d'orfèvrerie ou tapis du Proche-Orient.

Par ailleurs, on peut voir encore à l'heure actuelle des traces des rutilantes peintures qui ornaient primitivement les vantaux : la bordure était à fond rouge et les entrelacs de rinceaux roses et bleus tandis que la croix était verte. Avec ces motifs complexes et ces tons riches, lorsqu'une telle porte était intacte, elle devait briller d'un éclat comparable aux célèbres pages enluminées des manuscrits irlandais. Cet ensemble n'avait pas seulement un sens cosmique. Ces représentations destinées à éveiller la terreur, avaient valeur d'avertissement et on doit les rapprocher des inscriptions que nous avons déchiffrées à chaque entrée de la cathédrale du Puy, qui, par exemple, veulent empêcher le pécheur d'entrer à l'église dans de mauvaises dispositions.

Si l'église chrétienne primitive était ouverte à tous à l'inverse des anciens sanctuaires païens, certains interdits la garantissaient contre les indésirables, et si les narthex et les porches que nous rencontrons dans certaines églises importantes, telle Vézelay, ou en Languedoc, servant surtout d'abris pour pèlerins, avaient réuni à dessein des images destinées à inspirer la terreur, c'était à l'imitation des narthex primitifs, réservés à ceux qui, excommuniés, non-baptisés, n'avaient pas droit d'assister à tout le service.

Croix et visions apocalyptiques doivent être rapprochées des représentations des portails languedociens. On sait en effet par un texte d'Honorius d'Autun, relevé par Mâle, que lorsque, comme à Beaulieu, le Christ se présente montrant ses plaies et tenant sa croix, c'est tel que, au dernier jour, il se présentera aux damnés, et c'est pourquoi les premiers actes d'un Jugement véritable, montrant les supplices des damnés, sont développés sur ce portail, à l'inverse du portail de Moissac où le Christ dans toute sa gloire apparaît bienveillant aux bons et les associe aux récompenses du pauvre Lazare accueilli dans le sein d'Abraham.

Si Chamalières ne pouvait prétendre à un narthex, car son pèlerinage n'a pas eu malgré tout la vogue de celui du Puy, il est vraisemblable que cette porte devait se refermer sur ceux qui ne pouvaient rester dans l'église. Car de nombreux exemples nous montrent que sur le plan local, les usages primitifs sont restés en vigueur jusqu'à l'époque romane, sinon plus tard.

En outre, on doit observer que les motifs de croix droites ou renversées inscrits dans des cadres carrés ornés d'entrelacs, inscrits aussi souvent dans des cercles, étaient les motifs favoris des cancels, barrières véritables fermant les parties de l'église réservées aux clercs dans les basiliques primitives, et ces motifs avaient à coup sûr valeur d'interdit.

Enfin, outre la signification rituelle, cosmique, morale, les représentations du portail de

239

Chamalières avaient un sens historique. Toujours à l'instar des chapiteaux sculptés du For, la présence de ces monstres et des héros luttant contre eux a une valeur typologique; ils illustrent le monde du paganisme antérieur, celui des Gentils.

Le bénitier

Aussi n'est-il pas étrange que, à peine passé le seuil redoutable, nous rencontrions, toujours dans un contexte typologique, c'est-à-dire préparant la venue du Christ et sa victoire sur les forces du péché et de la mort, les prophètes porteurs de leurs phylactères, annonçant la venue du Fils de Dieu. Il s'agit du célèbre « *bénitier des prophètes* », célèbre parce que les bénitiers de l'époque romane sont rarissimes. D'ailleurs il n'est pas certain qu'il s'agisse d'un bénitier; c'était peut-être une colonne supportant un cierge. Les prophètes sont représentés debout sous des baldaquins, et l'un d'eux est David, porteur de sa harpe, tel qu'on le voit représenté à Vienne, à Bourg-Argental, à cela près que, dans ces ensembles, il est plus habituellement assis et jouant de son instrument. Les autres sont Isaïe, Jérémie, Salomon (pl. 130, 131).

L'intérêt qui s'attache à une telle œuvre ne résulte pas seulement de sa rareté ou de l'excellence de sa sculpture, il est aussi d'ordre iconographique. En effet depuis les célèbres études d'É. Mâle, on n'a que trop tendance à considérer la typologie comme une innovation de l'art gothique, car cet auteur insiste à l'excès sur le rôle sans doute considérable, mais pas unique, du seul Suger, constructeur de la première cathédrale gothique à Saint-Denis.

Le bénitier de Chamalières est intéressant donc par son sujet typologique. A cet égard il faut le rapprocher des fresques des chapelles-hautes de la cathédrale du Puy, où nous avons vu des sujets du même ordre, et aussi des trois statues colonnes figurant des apôtres, à Saint-Maurice de Vienne, provenant de l'église primitive et donc contemporaines des chapiteaux et frises sculptés d'Ainay. Parmi ces apôtres de Vienne on reconnaît la présence de saint Paul avec un manteau orné d'une bande d'orfroi où les prophètes se présentent dans des médaillons et le montrant du doigt. Il y a là une allusion certaine au texte de saint Paul dont l'illustration est attribuée par É. Mâle seulement à Suger, alors qu'elle se trouve sur un chapiteau de Vézelay où l'on voit saint Paul « moudre le grain des prophètes » avec un moulin, comme sur le vitrail de Saint-Denis, sans qu'il nous paraisse obligatoire de faire dépendre l'un de l'autre. De même, plus tard, la présence de ce texte sur le phylactère du saint Paul représenté en pied sur un piédroit de Saint-Trophime d'Arles ne saurait être attribuée non plus à la seule influence de Chartres.

Autre innovation importante, les statues sont presque dégagées du fût, en ronde bosse; et il y a lieu de noter que le progrès considérable que suppose cette technique a été accompli aussi dans le Sud-Ouest où s'est créée la sculpture monumentale; on sait que la pensée typologique triomphe également dans un portail-porche tel que celui de Moissac.

Thèmes d'interdit et apocalyptiques, statues-colonnes, sont des analogies certaines avec les églises languedociennes ou du Nord de l'Espagne.

Le tombeau

En outre, si Chamalières ne possède pas de portail décoré, ni même de tympan orné de sculptures, elle s'apparente encore aux sanctuaires languedociens par une disposition *extérieure*, c'est-à-dire par une part importante donnée à des bas-reliefs situés soit en façade, soit sur l'archivolte d'un portail, soit au chevet. Ces sujets ont toujours pour but d'inviter le pécheur à la repentance et, ayant une signification funéraire ou apocalyptique, ils évoquent l'idée du Jugement.

Tout d'abord sous une arcade à droite du portail d'entrée, on pouvait voir initialement un ensemble de bas-reliefs dits « *tombeau de l'évêque* » et qu'on a cru, sans doute à tort, vouloir représenter la mort de saint Gilles, patron de l'église. Il présente deux niveaux : le premier en bas comporte une double arcature trilobée dominant une sorte d'enfeu, et les arcatures doubles nous rappellent que le chiffre deux est celui des vicissitudes des choses humaines, de la vie et de la mort, du bien et du mal. Sur l'écoinçon de gauche un ange (pl. 134) montre un homme (pl. 135), situé sur l'écoinçon de droite et qui porte un *rotulus* déroulé, où l'on peut penser que devaient s'inscrire les noms des élus. Au-dessus apparaît l'exposition du corps du défunt revêtu de ses vêtements sacerdotaux et entouré de personnages qui portent sa crosse ainsi qu'un rouleau fermé. Ces attributs sont en quelque sorte le viatique qui lui ouvriront les portes du ciel (pl. 133). Enfin au sommet on voit l'accès de l'âme au ciel (pl. 136).

La présence de deux programmes distincts, celui des vantaux du portail et celui de cette arcade, opposant le côté du mal à gauche, le côté du bien à droite, est une analogie de plus avec les églises de la voie de Compostelle, car par exemple à Leon le portail de l'Agneau présentait un programme s'adressant au pécheur, s'opposant à celui d'un portail latéral intitulé fort justement portail du pardon. A Chamalières, deux bas-reliefs élevés, des sortes de métopes, tel qu'il s'en présente également aux chevets des églises espagnoles, Leon et Jaca, se trouvent du même côté que le tombeau de l'évêque, pour montrer que de ce côté nous sommes toujours du côté des élus, du Bien : juste après le transept, on distingue dans une partie élevée un ange magnifique, bras levés, qui sonne de la trompe et fait fuir un monstre incarnant le mal.

Le cloître et l'enfeu

Dans le mur Nord, une porte permet d'accéder à un jardin où se trouvent des débris du cloître primitif (pl. 127), les cellules des moines et les resserres où l'on a entreposé les débris lapidaires de l'église ; il est possible que sous l'arcade de ce portail qui vient d'être ouvert se soit trouvé sinon un enfeu comme on le pensait, ce qui supposerait qu'il ait été toujours fermé par le mur léger que l'on vient d'enlever, mais une simple *pierre des morts,* comme il en existe dans plusieurs églises foréziennes et à la Chaise-Dieu.

Sur l'*archivolte de ce portail,* situé donc au Nord, côté du mal et de l'apocalypse, se présente un thème qui n'a pas toujours été bien compris. On voit sur l'écoinçon gauche de l'enfeu un homme tête en bas, comme celui de la frise de modillons du cloître du Puy, bizarrement désarticulé, bras levés, dans une attitude d'épouvante, qui paraît se précipiter droit vers la gueule d'un lion aux pattes fortement griffues (pl. 128). A l'instar des deux lions entrelacés du début du programme du cloître, ce lion évoque les cerbères infernaux équivalents des monstres décrits par l'Apocalypse. L'homme se précipitant dans la gueule du lion ou mangé par lui, ou par la chimère, comme nous l'avons rencontré au sommet du clocher de la cathédrale, c'est le thème classique de l'androphage.

On le retrouve dans l'abside d'Ainay, et celui que nous avons décrit à Rozier, le docteur Bachelier l'a étudié à partir de ses origines celtiques. (*OGAM, t. IX, 1957*).

On peut en voir une forme ancienne au musée Calvet à Avignon, le pseudo-lion de Noves, qui n'est pas un lion mais un loup, conformément aux mythes celtiques qui revivront dans les légendes folkloriques sous la forme des « loups-garous », ou de « la bête du Gévaudan ». Le monstre androphage est fort répandu dans l'art roman ; ainsi on le retrouve à Charlieu sous la forme du lion posant ses pattes sur des masques humains à l'imitation de son modèle celtique. Mais c'est surtout dans l'art chinois ou précolombien que l'on rencontre des expressions, particulièrement frappantes, du masque qui peut être le loup des chinois, le jaguar des aztèques ou le masque de la Terre, le T'ao T'ie, thème que l'on rencontre aussi dans l'art roman en particulier à Moissac et à Beaulieu : le masque avalant ou vomissant l'être humain, selon la doctrine courante chez les primitifs et dans les traditions d'après les-

quelles la Terre-Mère avale les êtres pour les vômir à nouveau, illustre en somme l'idée des réincarnations. Naturellement on ne saurait admettre que la doctrine chrétienne ait admis une telle notion contraire à la Bible. Le thème de l'androphage a été adapté pour illustrer l'idée de la damnation, en relation avec la prière implorant le Seigneur de nous affranchir « *de ore leonis* ».

A cette figure du damné s'oppose celle de l'élu sous les traits d'un personnage vu à mi-corps, aux traits de Christ barbu, levant les bras dans l'attitude de l'orant et qui, à l'inverse du précédent, semble ainsi s'élever au ciel ; il fait fuir un lion menaçant qui tourne la tête et un léopard (?) fort dégradé (pl. 129). Il se trouve, symétrique du précédent, du côté droit. On doit rapprocher ce personnage de l'image de la Foi du clocher de la cathédrale qui domptait aussi des animaux. Et surtout on doit le rapprocher des *hommes aux lions* espagnols et languedociens, thème allégorique à sens moral, et illustrant l'idée du Jugement, parfois d'une extrême complication. Comme par exemple à Saint-Sever et Hagetmau, on voit parfois une sorte de Daniel, fort comparable à l'élu de Chamalières, s'opposant à des damnés livrés au lion à l'instar des martyrs des catacombes ; ce sujet a eu une extrême et très vaste dispersion.

Autre pièce sculptée

Un *bas-relief* aux lignes simples et tout antiques se trouve dans une resserre où l'on a déposé récemment le « tombeau de l'évêque » en attendant de le remonter. Nous pensons, quant à nous, qu'il devait se trouver primitivement dans les parties hautes du chevet, côté Nord, symétrique de l'ange à la trompe et que, comme ces motifs que nous venons d'analyser, il indiquait aussi l'idée du Jugement : il représente en effet saint Pierre (pl. 132) portant de la main droite sa clef pour introduire les élus au ciel et, de la main gauche, le livre ouvert où sont inscrits les noms prédestinés. A notre sens, si ce saint Pierre ne porte pas de barbe, ce n'est pas par un parti pris d'archaïsme ou parce que ce serait un relief très ancien, mais simplement parce que, destiné à être haut placé, on a volontairement simplifié les lignes et donné en même temps la plus grande importance aux clefs et au livre, sur quoi il importait d'attirer l'attention.

Intérieur de l'église

Bien que nous soyons accueilli par des bas-reliefs aussi soignés, il en est de l'*intérieur* de l'église, nef et chœur, comme de la façade :

241

même sobriété de l'architecture, même espacement des éléments sculptés non moins soignés, mais qui, malgré leur apparence modeste, expriment une grande richesse de pensée.

Les *bas-côtés* sont recouverts d'une voûte d'arêtes bar longue soutenue par de grands doubleaux ; les colonnes sont engagées d'un quart et surmontées de chapiteaux de feuilles. Les fenêtres, sauf dans la première travée Sud, sont ouvertes dans l'axe transverse des travées. Donc cette nef est assez médiocrement éclairée (pl. 124). La voûte de la nef est en plein cintre ; de même les fenêtres des bas-côtés sont inscrites sous des arcades en plein cintre et, comme les doubleaux, celles-ci ont un profil rectangulaire. Les piliers les plus proches du transept sont encadrés de colonnes soutenant les grandes arcades, plus hautes que les autres, ce qui a entraîné une déformation de l'arc. Il en est de même de l'arcade latérale du bas-côté. Comment expliquer ces particularités ? Peut-être les collatéraux étaient-ils initialement plus élevés, peut-être y a-t-il eu interruption dans la construction de l'église ou peut-être encore l'église a-t-elle été commencée aux deux extrémités, et ce serait là le joint.

L'arc du carré du *transept* descend plus bas que les doubleaux. Il repose sur des tronçons de colonnes supportés par des têtes taillées après coup. L'arcade qui fait communiquer les croisillons nous présente de même une portion de colonnette en encorbellement. Toutes les autres arcades comportent aux piédroits des colonnes des socles carrés de 1 m. 85 de haut au-dessus du sol actuel.

Au carré du transept, la coupole ovoïde est supportée par des trompes en cul-de-four : elle ne dépasse pas en hauteur la voûte de la nef. Le transept n'est guère débordant, 1 m. 50 seulement. Chaque bras du transept présente une haute et large fenêtre qui n'est pas placée de façon symétrique. Les chapiteaux, comme dans la nef sont décorés de grandes et hautes volutes. Comme celles de la nef, les colonnes du chœur sont très galbées, l'astragale fait corps avec le fût. Certaines présentent des cônes à la base pour les surélever.

Les chapiteaux à sujets sont ornés des sirènes tentatrices, de l'image de Daniel entre ses lions, figure du Christ, et aussi d'une curieuse figuration qui, à coup sûr, a une portée symbolique : un petit personnage agrippé à l'astragale du fût au sommet de la colonne précédant la croisée du transept ; on rencontre dans les manuscrits carolingiens des personnages s'agrippant de la même façon aux colonnes des portiques des canons des évangéliaires. Il semble que, s'opposant à l'homme précipité vers la terre, il s'agisse de l'homme qui fait l'ascension du ciel et qu'on ne l'ait pas associé sans raison à Daniel, l'homme sauvé des lions.

C'est sans aucun doute le *chœur* et l'*abside* qui présentent les traits les plus originaux. La travée de chœur, de médiocres dimensions en profondeur (5 m. 60), est plus large que la largeur totale des trois nefs et elle est soutenue par une arcade très brisée le long du mur. Des doubleaux aux piédroits rectangulaires surmontés d'une imposte sans ornement séparent le chœur de l'abside de même largeur que celui-ci.

La voûte de l'abside est constituée par un immense cul-de-four sur lequel s'ouvrent de petites absidioles, chapelles en hémicycles à la mode auvergnate (pl. 125, 126). La voûte de cette abside en quart de sphère présente un profil légèrement brisé. Elle est éclairée comme le chœur de Blesle et celui de diverses autres églises du Velay, par trois *oculi*, celui du centre quadrilobé. Par comparaison avec diverses autres églises où les mêmes symbolismes se présentent dans le chœur de différentes façons, chapiteaux d'Anzy-le-Duc et de Saint-Vincent de Châlon-sur-Saône en particulier, on peut penser que ces trois ouvertures, assez différentes de celles qui se présentent en façade, sont une allusion à la Sainte Trinité. En outre, des fenêtres en plein-cintre, logées dans les absidioles, procurent aussi quelque lumière. Ces absidioles comportent des voûtes en quart de sphère à arc brisé, comme celle de l'abside. Caractéristique qui distingue Chamalières et les églises vellaves de celles de l'Auvergne : à la place de la chapelle axiale consacrée à la Vierge, on trouve une niche dans l'épaisseur du mur, encadrant un autel. Les arcs des fenêtres sont portés par des colonnes engagées d'un quart comme ailleurs dans l'église et les chapiteaux sont toujours de feuillage. La voûte du chœur est supportée par une corniche sans ornement.

L'ampleur de l'abside a nécessité des travaux pour conforter la voûte à l'aide de soutiens indispensables. Ces travaux apparaissent à l'intérieur et à l'extérieur. Par exemple, à l'intérieur, on peut voir des arcs aigus entre les absidioles pour conforter la voûte ; or, appareil et style sont visiblement différents entre la base XIIe et la frise supérieure ; au point de vue technique, les arcs aigus présentent un bel appareil grâce à des joints très fins, très différents du reste, ce qui prouve la durée des travaux et sans doute l'intervention d'ateliers étrangers. L'importance donnée à l'abside de Chamalières correspond à la tendance générale que nous avons décrite à propos de l'architecture locale et qui se manifeste en Velay dans le parti des chœurs tréflés du type Retournac, Saint-Maurice-de-Roche, Beaulieu ou à la cathédrale du Puy par ses chapelles absidales prolongeant les croisillons.

Des *fresques* sont inscrites sur les piliers du chœur de façon curieuse : au revers des piliers on ne peut voir ces représentations de la nef mais de l'abside, comme s'il s'agissait d'un programme ésotérique réservé aux officiants et qui ne s'adressait pas aux fidèles. Ce fresques s'harmonisent toujours avec le plan d'ensemble, car elle correspondent au programme des absides coptes que nous avons vu imité au Puy sous une certaine forme, associant Christ au tétramorphe et Vierge à l'Enfant. On sait que ces sujets, absidaux par essence — car ils expriment les dogmes les plus sacrés —, sont inscrits aussi dans les coupoles et absides byzantines. Enfin respectivement au Nord et au Sud, sur des piliers bas qui devaient servir d'autels, sont représentés en fresques les deux grands patrons du monachisme occidental, Saint Benoît et Sainte Scholastique. Cette représentation nous invite à penser que, avec les groupes de thèmes déjà décrits, archivolte du portail septentrional et « tombeau de l'évêque », nous trouvons à Chamalières une nouvelle expression du thème des étapes ou des trois vertus théologales. Nous avons rapproché l'image de l'orant du bas-relief Nord du personnage incarnant la foi au Puy, nous avons analysé dans le « tombeau de l'évêque » le passage de l'ordre terrestre à l'ordre céleste qu'assure la vertu d'espérance. Les saints moines de l'abside sont évidemment les images de la troisième étape, de la plus haute des vertus, la charité, et plus précisément sous la forme à laquelle sont appelés les moines retranchés du monde, la charité contemplative, thème que nous avons signalé à Bourg-Argental et à la Charité du Puy.

le problème du chœur

Faut-il, comme le pense Thiollier, faire dépendre l'abside imposante de Chamalières, comme celle non moins vaste de Saint-Paulien (pl. 122, 123), de l'influence auvergnate ?

Il admet que dans les deux cas, on aurait construit à l'imitation des absides auvergnates, un déambulatoire en avant des chapelles en hémicycles, qu'on retrouve dans les deux églises. Ensuite les colonnes séparant le chœur et le déambulatoire auraient été rasées.

Nous ne pensons pas qu'il faille faire appel à une hypothèse aussi peu vraisemblable et on conçoit assez mal un tel tour de force technique. En revanche nous avons l'exemple de Polignac et, en Forez, ceux de Saint-Romain-le-Puy et de Pommiers en particulier, où une abside, conçue d'abord de proportions modestes, a été ensuite élargie et surhaussée. A Polignac, en voulant écarter les piliers de l'arc triomphal jusqu'aux limites du possible, on avait failli compromettre la stabilité de l'édifice. En Lyonnais comme en Forez, nous avons vu que, correspondant aux triconques vellaves, on établissait un étroit passage afin de réaliser une unité des trois absides. Trait commun, d'ailleurs, avec les églises lyonnaises et foréziennes, Chamalières possède dans son abside, trente *échéas,* pots de résonance d'origine gallo-romaine, destinés à amplifier le son (nous en avons déjà rencontré à Pommiers) (pl. 125).

En fait, à notre sens, l'opinion de N. Thiollier résulte d'une surestimation de l'importance des écoles provinciales, courante chez les archéologues du XIXe siècle. Le Velay, et même l'ensemble de la Haute-Loire, ne doivent pas être annexés à l'école auvergnate aveuglément. L'architecture de Brioude s'apparente autant à l'école bourguignonne qu'à celle de l'Auvergne et nous y avons discerné l'influence de l'iconographie du Puy. Cette dernière apparaît aussi à Vissac, en façade, et à Blesle, dans les chapiteaux intérieurs et dans la disposition des sujets; ces deux églises sont situées en Brivadois. De même Thiollier reconnaît que les partis architecturaux de Chamalières ont été imités dans la même région, celui de la nef à Chanteuges, celui du chœur, qu'il pense plus tardif, à Blesle et à Langogne, prieuré du Monastier, mais qui se rapproche plus de Chamalières que du Monastier.

Si l'influence auvergnate est probable à Saint-Paulien où l'on trouve l'avarice à la mode auvergnate, il n'apparaît pas plus de trace, dans cette église, de piliers d'un éventuel déambulatoire primitif, et par contre, des contreforts massifs à l'extérieur, sont chargés d'étayer la poussée de la conque imposante de l'abside. L'assemblage étonnant de ces voûtes, dans les deux églises (pl. 123, 125), est sans doute dû à des ateliers du Puy entraînés à établir des coupoles, et les moines de la Chaise-Dieu n'oublieront pas ce qui devait être une tradition autochtone, lorsqu'ils réalisèrent au XVIIe siècle l'étonnante « salle des échos » où est réalisée une ellipse parfaite. A notre sens, il y aurait eu dans la portée des absides un progrès continu, de Polignac, dû aux ouvriers lyonnais et ponots, à Saint-Paulien, puis à Chamalières, imités ensuite à Blesle et à Langogne.

Et si nous avons insisté sur l'influence languedocienne, c'est que cette ambition d'élever l'abside le plus haut possible, de même que, par exemple, en Auvergne la coupole du carré, ou en Périgord les nefs des « églises à coupoles », cette ambition s'explique comme en Languedoc par le désir d'imiter les coupoles byzantines et par l'influence du fameux texte de l'Apocalypse décrivant la « Cité Sainte », déjà mentionné, et qui a eu un tel retentissement. Dans les fresques de Brioude, on discerne l'influence catalane et dans cette église, la sixième travée, la première du chœur, présente une disposition analogue à celle du narthex de Moissac. A l'instar des portes dédiées aux archanges qui défendaient les anciennes églises carolingiennes, c'est autour de l'abside prestigieuse qu'à Chamalières, les thèmes « d'interdit » font comme une garde sacrée : saint Pierre au Nord, ange sonneur au Sud, thèmes d'avertissement des portails; et la disposition curieuse des fresques (Christ et Vierge cachés de la nef) (pl. 121), ne peut guère s'expliquer autrement.

243

(suite à la page 262)

TABLE DES PLANCHES

(SAINT·PAULIEN)

122

123

(SAINT-PAULIEN)

124

125

128

129

131

133

134

135

DIMENSIONS

Longueur totale de l'église : 39 m 50.
Largeur totale de la nef, collatéraux compris :
    13 m 90.
Largeur d'un collatéral : 2 m 60.
Largeur de la nef : 5 m 60.
Hauteur de la voûte de la nef : 14 m 60.
Hauteur des arcades faisant communiquer nef et
    collatéraux : 7 m.
Profondeur de la première travée : 6 m.
Profondeur de la deuxième travée : 7 m.
Profondeur de la troisième travée : 6 m 20.
Largeur du transept : 18 m 70.
Profondeur du transept : 5 m 15.
Largeur de la travée du chœur : 16 m.
Profondeur de la travée du chœur : 4 m 50.
Largeur de l'abside : 15 m.
Profondeur de l'abside : 8 m.
Hauteur de l'abside : 15 m 40.
Profondeur des chapelles absidales : 2 m.
Largeur des colonnes de la nef à la base : 1 m 58.
Hauteur des colonnettes situées à la base des colon-
    nes de la nef : 1 m 85.
Largeur des portes en bois : 2 m 50.
Hauteur des portes en bois : 4 m 10.
Hauteur du bénitier des Prophètes : 1 m 35.
Largeur des piliers de l'arc triomphal : 2 m 60.
Petit pilastre cannelé orné de fresques : 0 m 80.

Ils se trouvent comme enfermés dans la partie sainte de l'église conçue comme un tout, et peut-être éclairés à certaines heures et dates par un faisceau de lumière venant des *oculi,* à l'instar des statues sacrées, dans la *cella* des anciens temples égyptiens.

Conclusion

Bien d'autres églises romanes, Vézelay, Autun en particulier, présentent des portails et des chapiteaux célèbres qui attirent à juste titre les touristes. Le Puy par son cadre, par des ensembles préservés tels le cloître ou la chapelle d'Aiguilhe, reste actuellement un haut-lieu des pèlerins comme il l'a été de tout temps. Chamalières par des beautés plus cachées qui méritent que l'on s'y attarde, doit inciter à un détour sur les grands itinéraires habituels. Et à nos yeux son mérite essentiel est, comme pour les autres églises que nous étudions ici, mais mieux encore peut-être, grâce à cette pauvreté même du décor, à l'espacement des éléments décoratifs significatifs, de démontrer le symbolisme complexe et subtil de l'art roman et l'ordonnance savante des sujets dans les différentes parties de l'édifice.

Puy Cathedral

Puy Cathedral is one of the most famous Romanesque monuments in the Midi. It is remarkable for its façade ornamented by a mosaic of stones, as at Auvergne, for the mock belltower-arcades replacing the twin towers, for the crossings surmounted by galleries, the northern one decorated by primitive frescoes, for its "Porche du For" of Arab inspiration, and for its seven storied pyramidical belltower.

Unfortunately more than three quarters of the building has been restored, more or less successfully, and certain parts have been disfigured. The apse is square and all that remains of the earlier one is the gallo-romaine frieze, the lintel of the papal door, and the frieze composed of opposed Ss. Before the XIXth century restoration the were seven panels as can be found in many churches in the upper Loire and Forez. The belltower of the angels at the crossing of the transept was built as a lantern tower. The principal entrance of the pilgrims has also been pulled down, for originally a tunnel gave entrance into the choir. The cathedral was thus really suspended in space as this tunnel must have passed beneath the length of the nave.

There were various reasons for the restorations. In the first place, this rather strange "suspension in space" necessitated successive reparations. Then again, numerous additional constructions ended by disfiguring the original plan of the church, particularly the chapels congregated around the apse. Other chapels were even built within the church. Consequently, the details of architecture and sculpture need not be studied in detail as in other Romanesque buildings. It is the ensemble which deserves admiration and above all the exterior of the church which dominates the rose red roofs of the town. In fact, all its colours and shapes harmonise perfectly with the unique volcanic landscape. The cathedral should be approached on foot along the twisting lanes formerly used by the pilgrims. In spite of the damage committed, there still remain traces of the early decor, of which the most interesting are to be found in the three main entrances to the cathedral. The principal entrance is in the West facade at the top of the rue des Tables, where earlier stood the merchants' booths and through which the majority of the pilgrims entered the tunnel which led into the choir through a circular opening. At the other side is the "Porche du For", including the papal doorway which was udes by high ecclastics and Popes, whilst the Porch of St. Jean at the other side of the pyramidical belltower, that is to say the northeast, was the entrance of kings and nobles.

The reason for these numerous entrances to the church of the Angels was that Puy used to be the Lourdes of the Middle Ages and was besieged by crowds of pilgrims. Many of the sick sought a cure from the miraculous stone, the *Pierre des pieuvres*, which nowadays rests in the principal entrance but which in olden days stood close to the choir. The kings and popes revered the reliquary of the Virgin, which was possibly a gift of St. Louis brought back from his Egyptian crusade. Puy was especially crowded at the time of the Jubilees, that is to say each time the feast of the Virgin, the Annunciation, coincided with Good Friday.

There are two carved doors in the pilgrim's entrance, one decorated with scenes from the Passion and the other from the Nativity with the Annunciation in the centre. Next are Byzantine frescoes showing the Virgin carrying the Child and the Ascension. The holy women at the tomb of St. Catherine of Alexandria can be seen in the chapels of the north crossing. All these representations are characterised by the liveliness of the illustration for the people who gazed on them were illiterate.

The themes portrayed in the Porche du For illustrate the world as it was known to medieval science when the clergy were the sole custodians.

The entrance of the kings called the great of the world to humility for they had to pass before the lions of Justice, symbols of eccliastical justice, which were carved in the round at the entrance to the baptistry, whilst the themes and inscriptions on the tympanum were meant to inspire respect for the divine service. Thus at each entrance, the painting or carving was adapted to the different categories of the faithful.

The church possessed two choirs, the one to the west was called the *choir of St. Andrew* and was formerly reserved fot the people as opposed to the choir of the canons. The fourth bay is decorated by a series of carvings inspired by the frescoes in Coptic churches. They include a Christ flanked by the sun and the moon, twelve kneeling apostles, the Lamb adored by the ancients, figures inscribed in circles representing the way of Salvation, and other with animals and men-animals showing the way of perdition and the degradation to animal level which threatens the sinner. A comparable series carved on the capitals of the pyramidical belltower can be seen in the Crozatier Museum.

Both the iconography and the architecture of the cathedral reveal the influence of Coptic art. The plan of the church with two opposing choirs was common in Egypt as also their trefoil design. The cupolas of Puy imitate those of the churches of Assouan. In addition, a strong tradition supposes the reliquary of the Virgin of Puy to be an "Egyptian" and the hermits who originally evangelised the place certainly came from the Iles de Lerins, whose monasteries, up until the Arab invasion, were in direct contact with Egypt, land of the ascetics of the Thebaides.

Table of Illustrations

The Cloister of Puy

The cloister is the most attractive Romanesque building in the town of Puy and has suffered less restoration than the cathedral. Its attraction lies in its harmonious colours and the Arab-inspired mosaic of stones and in the rare vigour of the carving on the capitals which surpasses that in the cathedral.

Nevertheless, the south side was destroyed in the XVIIIth century and rebuilt in the XIXth century when the storey surmounting the galleries was done away with and the frieze in the ambulatory beneath the cornice was rather over restored. The projection of the roof prevents the detailed study this richly carved cornice merits.

The rectangular cloister opens on the ambulatory with five arcades in the shorter sides and ten in the longer ones. The promenade is entirely herringbone vaulted whose perfect regularity is assured by slight modifications in the placing of the corner columns.

As M. Schneider has demonstrated apropos the *musical cloisters* of Catalonia, the order of the paintings in the cloister should be examined in a rotary sense following the movement of the sun, that is to say, anti-clockwise. In this way the connection between the subjects can be understood, some being visible from the ambulatory, but the majority from the promenade. However, unlike those in the Catalonian cloisters, they do not form a continuous suite for the iconographical programme is completed on the frieze.

The theme of the frieze are the dangers of temptations which beset the monk at different hours of the day and particularly during the night, when sleep makes him vulnerable to dreams. First of all to the northwest, men-animals can be seen,

followed by human or animal heads framed by bats, serpents and interlacements symbolising the temptations of the daytime. To the north man is represented in various half animal disguises indicating the transformations that can be caused by sin. This side which gets no sunlight represents nocturnal temptations.

By contrast, the capitals show the path of salvation. The beginning of wisdom is fear of the Judgement which is illustrated on the capitals in the northeast. First come lions, often to be seen in apocalyptical series, the struggle of the abbot and the abbess, then the Judgement itself, and a soul ascending to heaven in spite of the efforts of demons. To the south the rewards promised to the chosen are symbolised by doves drinking from a Eucharistic bowl, and by heads flanked by birds. Finally, in the northeast corner, at the end of the day, the Lamb of the Apocalypse can be seen and the four animals of St John's vision which, in the Middle Ages, represented the Christian virtues.

On the capitals visible from the courtyard are the two major temptations of the monk. In the centre, on the south side, the flight of the female centaur from the male evokes the carnal temptations which are strongest in the morning. In the southwest corner the Arab dancers represent the danger of heresy and the sins which attack the spirit. Unfortunately, only a few of the keystones of the arcades remain, which were originally ornamented with subjects which harmonised with those on the capitals and frieze.

The texts of Jean Cassien, a Marseillais monk who lived for 16 years in Egypt and was in touch with the monks of Lerin, have explained a number of the subjects depicted in the cloister. The Salle des Morts merits a visit. It is ornamented by a very beautiful fresco of the Crucifixion, and by a curious open ironwork door which dates from Romanesque times.

Table of Illustrations

The Cloister

Chapel of Saint-Clair

Saint-Michel d'Aiguilhe

Aiguilhe is a suburb of Puy and the chapel of St. Michael Should be visited after the cathedral, just as in the Middle Ages when the pilgrims came on to climb the peak after their visit to the Virgin of Puy. As at Monte-Gargono near Bari in Italy and Mont St. Michael d'Avranches near St. Malo, the chapel of Aiguilhe is built upon a height, in case of basalt rock on a site famed in Celtic legend.

The founder of the chapel, Godescalc was the first pilgrim of Compostelle and links with Spain can be seen in its architecture. Two successive stages in its construction can easily be discerned. The early chapel of Godescalc only covered a part of the platform. This dates from the end of the XIth century and resembles, in particular, the Palatine chapel of Aix, whilst the partly defaced frescoes inspired by Carolingian manuscripts, are similar to those in the Merovingian crypt of Ternand of the Rhone. The plan of the building is inspired by the description of the *Celestial City* in the Apocalypse for the base is cubic crowned by a cupola representing the heavens. As in Byzantine churches, the cupola is ornamented by a Christ Pantocrator flanked by the evangelistic symbols, and the walls of the square base, representing the easth, are decorated by the twelve apostles. But, as in the Spanish Apocalypses which inspired the tympanum of Moissac and frescoes of Maureilles, the subjects portrayed on the sides of the cupola Illustrate the Judgement. To the east the saved are sheltering beneath fine arcades and the damned are dragged by a wheel turned by an angle. To the west, the Archangel Michael awaits the orders of his Master and to the north and south legions of six-winged Seraphim worship the Christ. The early chapel has absidial niches in three of its walls of which only the North and Esat ones survive.

This early chapel forms the apse of the present day building which forms a kind of passage with nine herringbone-vaulted bays of irregular size adapted to the platform. To the north it ends in a semicircular bay, preceded by a narthex of two to the south. The façade on this side is richly decorated by a marquetry of stones facing a reduced scale imitation of the pyramidal belltower in the cathedral. The larger part of the nave dates from the end of of the XIth century and the façade and belltower from the second half of the XIIth.

The architecture of the nave is worthy of note with its swelling columns and capitals with animal motifs, out the most interesting part of the building apart from the damaged frescoes, is the façade. It shows obvious traces of Byzantine influence as does the interior decoration of the chapel, particularly the rich vegetal motifs on the corners of the trilobe surmounting the entrance whilst the presence of St. John and the Virgin to the right of Christ the Judge recalls the theme of the *Coming* in Byzantine iconography. In addition, the eight Ancients adoring the Lamb on the Triolobe resemble those over the doorway at Manresa in Catalonia and are inspired by the Apocalypse of Beatus. The idea of the Judgement is repeated in various themes—the monsters with half-bodies protruding from the wall followed by the sirens on the lintel and genii in the entrelacs of foliage, emphasing in their alternation the opposition between the chosen and the damned, the way o good and the way of evil. The supreme Judges are shown upholding the arcades with open hands and may be compared with those seen on the Porche du For. This importance given to the Judgement themes links the chapel to the Western school.

The picturesque village of Aiguilhe also contains the curious and beautiful chapel of St. Clair which seems to imitate an Arabian kouba. It has seven panels decorated with polylobal arcatures and mosaics of stones and a semi-circular apse.

Aiguilhe is the country of Raymond d'Aiguilhe,

historian of the First Crusade, in which Adhemar de Monteil, bishop of Puy, also took part.

Table of Illustrations

Saint-Michel d'Aiguilhe

St. Romain is the most beautiful and curious little church in Forez and shows the influence of Lyon. In fact it is a dependance of Ainay at Lyon and designed by the same architect who built the early church there of which the chapel of St. Blandine still exists. The construction of the capitals is identical in both chapels and the decoration very similar. The name of the architect is inscribed on one of the exterior panels of the frieze at St. Romain.

The plan of the church is rather complex and careful scruting reveals three stages of construction. An early church, scarcely a chapel even, had been built shortly before the year 1000, and is thus almost contemporary with the chapel of Aiguilhe. It consists of the present nave, the bay beneath the belltower, a primitive choir and the small hemicircular chapels of a design unique in the region. The first stage in its building can be recognised in the small hewn stones used for the walls of the nave occasionally alternating with brick.

The second stage left the first building pratically intact but added to it a choir and a crypt framed by absidials twice as large as the primitive apse but with a nearly identical contour on the exterior. This enlargement doubled the size of the choir and lent it greater importance than the nave. This emphasis of the choir is characteristic of Forez and Vellay and generally in the Lyonnaise region.

The third stage mainly consisted of reconstructions necessary to vault the early church and heighten the choir. It was also necessary to reinforce the nave by means of mural arcatures and strengthen the pillars and capitals in the square of the apse. These latter are later than those in the crypt and resemble those at Ainay.

The decorative themes are skillfully arranged. First of all an exterior frieze formed by squares carved in light relief arranged side by side. This style had been used on Celtic sanctuaries in the province and on two of them the swastika and "cornupete" of Marseilles can be seen. Two similar ones can be seen at Ainay, the neighbouring church of St. Rambert and in the valley of the Rhone and they must have been made in series for the Lyonnaise abbeys. Other squares are ornamented with pagan themes, birds, lions, fleur de lys and the temptation of Adam and Eve. St. Irene from the Orient founded the earliest church at Lyons and is depicted on foot in one of the Romanesque frescoes in the church.

The principal themes from this frieze reappear in different forms in the apse and crypt. Capitals ornamented by entrelacs with a ram's head at each corner can be seen. The frescoes in the nave and choir of various dates represent scenes from the lives of the martyrs.

The subjects carved on the capitals in the crypt, traditionally the shelter of a saint or relic, are celestial and apocalyptical. In place of the swastika with arms turned to the left, certain capitals display a wheel turning to the right. In place of foliage forming a cross, the blossoming of the flower is seen. Peacocks are the symbol of Paradise regained. Thus, in spite of their apparently purely decorative effect, the themes of St. Romain le Puy are of deep significance. Their concise design can be attributed to Celtic influence. In fact, as at Puy, a stone of Celtic origin can be seen, and the neighbouring oppidums of Essalois and Montveerdun contain an abundance of Celtic objects. But the preponderance of animal and vegetable decor stems from Lyonnaise influence.

Table of Illustrations

Pommiers

The entire village of Pommiers is worth a visit for it is a fortified moated hamlet with ancient gates, a priory with massive towers, and lies not far from the picturesque valley of the Aix, a river spanned by an xvth century bridge. That it was already inhabited at the Romanesque epoch is proved by the many remains both outside and inside the church such as votive columns, a gallo-roman tomb, etc.

The church was subsidized by the Counts of Forez but, in spite of its fairly large proportions with three naves, il is almost entirely bare as are numerous Romanesque and Gothic buildings in Forez, its only decoration being the frescoes painted at the end of the Middle Ages and Renaissance which adorn the north absidial. These frescoes illustrate the supreme sacrifice of Christ thus providing a link with the interior of Saint-Romain.

The only Romanesque decoration in the church are some terra cotta corbels representing monsters which ornament the corniche of the south wall of the church on the cloister side. These terra cotta corbels are a Celtic survival, another link with St. Romain.

The church, at the present day, consists of a nave with collaterals, a transept with absidials, and a crossing and apse preceded by the straight bay of

the choir. As at St. Romain three distinct stages of construction can be seen. The first stage was the erection of a building of restrained proportions dating from the beginning of the XIth century, with a single nave and a fairly accentuated transept with absidials opening into the crossings. The enlargement carried out at the end of the XIth century consisted in opening collaterals in the walls of the nave of equal size to the original crossings, plus the erection of a vast apse including two absidials and a transept. The preexistence of the cloister on the south side of the church makes the south crossing shorter than the north one. In all probability, this enlargement was made without sufficient precautions because the arches of the crossing had to be strengthened during the Gothic age, together with both sides of the apse. As is usual in Forez, the choir is the most finished part of the church and displays three wall arcatures resting on twin colonettes, ornamented with capitals and framing the windows. This formula is followed at St. Romain and l'Hopital sous Rochefort, but the arcatures decorating the absidials is an exception. The capitals crowning these colonettes display the balls and crochets characteristic of Gothic art. The exterior buttresses of the apse are of the same date.

In certain details, the church resembles other

270

provincial buildings in the valley of the Rhone. In fact the trapezoidal plan of the choir links it to that of the ruined church of Bourg de Thizy. The vault of the nave is much higher than those of the collaterals and is furnished with kind of "portholes" narrow outside but opening widely in the interior, which are characteristic of the province, and which serve to aerate the building rather than light it.

Lyonnaise influence can also be seen. In fact a record indicates that the Prioy of Pommiers founded in 891, and a dependance of Nantua in the XIIth century, was later reattached to Lyons. A curious characteristic of the church is the presence in the vaults of the nave of a series of "cheas", or sound boxes which were first to be seen in the church of Ainay before their use spread throughout Forez (St. Thomas la Garde, Neronde, Montbrison).

Even though the church lacks all decoration, particularly capitals, the early apse was more decorated than the present day one. A stone tablet can still be seen in the choir, its bandeau once richly decorated, part of the matutinal altar used in primitive liturgy. In the Musee du Vieux Pommiers is a richly carved rectangular plaque, doubtless brought from the choir of Ainay. The principal motif is of a gazelle pursued by a lion, symbolising the soul fleeing from evil, a copy of a motif from the frescoes in Baouit.

Table of Illustrations

The origins of this church are obscure. It is known to have been a dependance of a Clunisian priory but the Charter of Cluny gives no indication of the date of its foundation and no visits by superiors are recorded until the XIIIth century. The lands of Rozier formed part of the diocese of Puy, but after 1061, when it is possible the construction was begun, it, together with Aurec, formed an enclave donated by Comte Arthaud V to the abbey of St-Michel-de-la-Cluse.

It is a pity that so little is known of its origins for its architecture is very fine and its carving exceptionally rich and reflects the great channels of Spanish and Italian influence. However, the importance given to the human figure on the capitals proves the influence of Vienne.

The plan of the little church of Rozier is of the most usual type in Forez with its single nave and three bays, its transept out of which open side-chapels, and crossing surmounted by a cupola and bell tower. Certain characteristics prove its antiquity: the small cut stones of the walls and the bizarre squinches of the cupola formed by a series of corbelling arches. However, the careful stonework, the slender capitals and semicircular vaulting of the nave resting on half columns upheld by pillars are new developments compared with other buildings in Forez, and makes it likely that the church, in spite of its archaisms, dates from the end of the XIth century rather than the beginning.

The important belltower shows the influence of the valley of the Rhone, its double storey bays imitating those of Ainay in Lyon and those of the church at Vienne. The choir is by far the most finished part of the building. The exterior is pannelled like those of Velay and inside it is of circular form decorated by three mural arcatures supported by double colonettes with here and there fluted pilasters framing the three windows. The themes of the capitals, one of which displays a Gaullish god, and the astragals of the colonettes forming part of the shafts are in imitation of antiquity and are similar to those in the apse of St. Andre le Bas. The village of Rozier lies not far from a Roman road of great importance, the Bollene road, which linked it with Le Puy and the southwest. This may explain the resemblance between the carved tympanum, rare in Forez, and that of Huesca in Spain. It shows the Adoration of the Magi and a rather clumsily carved star, formed by a large octagonal rose window. Below it is a rectangular plaque, even more roughly carved, with the image of St. Blaise in his abbot's robe. The very simple façade is crowned by a series of modillons representing the signs of the Zodiac resembling those to be seen in the cathedral of St. Maurice de Vienne which is also associated with the Adoration of the Magi.

But this imitation of Vienne, especially of St. Andre le Bas, is most evident in the capitals of the nave. The capitals in both churches attempt to express the three stages of mysticism and the opposition between the active and contemplative life. The active life, that is to say, victory over the world even in the midst of it, is represented at Vienne by the biblical hero, Samson struggling with the lion; at Rozier, by a man half swallowed by a wolf, recalling the Celtic theme of the "andro-phage". The second stage, that of detachment from the world, is symbolised at St. Andre by Job scorned by his wife and friends; at Rozier, Job is seen between a man and a dog who seem to be jeering at him with cries and barks. The third stage, that of contemplation, is symbolised at Vienne by an Allegory seated on a throne supporting with raised arms an arcade carved with architectural motifs, and at Rozier, by a man rising up to heaven. On the right lateral face of the capital is a winged and horned dragon, a theme which is also of Celtic origin.

This programme, rich in ideas although rough of execution, is completed by a finely worked altar front decorated by a Christ of the Apocalypse between the Alpha and Omega. It can be seen at the present day in a side chapel.

Table of Illustrations

273

Chamalieres

A. History.

The church of Chamalieres is one of the largest and most beautiful in the Haute Loire and well worth a visit although it is unknown to most tourists.

It is built in the centre of Forez-Velay, fifty kilometers from St. Etienne and thirty from Puy, on a wonderful site on the banks of the Loire. In olden days its fame was widespread owing to the prestige of its relics which include the bodies of St. Gilles d'Arles and St. Clou, the gift of Charlemagne. All the local nobles, such as Montboissier, the Joyeuse, Chalenon, Beaumont, Polignac and Mercœur, even some families at a great distance from Velay such as the Mortregrenots of Rouergne, had enriched it with lands and priories and vied among themselves for the coveted position of prior. Several priories in the neighbourhood of Puy, such as Beaulieu, St. Pierre-Duchams and Rozier were affiliated. All the details of gifts of land and ensuing arbitrations are recorded in its cartulaire, translated by Jacotin and deposited in the Gallia Christiana by Dom Estiennot and in the glossary of Du Cange.

The historical importance of Chamalieres is reflected in the large dimensions of the church, rare in the region, and still more striking in that the village is isolated in a wild spot. Only twenty-seven monks were attached to the early abbey which was soon raised to the rank of a priory.

It may seem strange that families of the high nobility should have been so interested in a church of small importance in the ecclesiastical hierarchy, but the case of Chamalieres is not unique because at all epochs the inhabitants of Forez-Velay had shown a great devotion to hermits and monks, buried in wild country and spurning ecclesiastical honours. This devotion was probably a souvenir of Celtic and Coptic times. The veneration accorded to natural sites and hermitages can be found to this day in the "mystery" of Paulhaguet dedicated to the cult of the Holy Trinity, a mystery that doubtless is due to certain curious aspects of the rites practised by the ancient Celts.

B. Archaeology

From an historical point of view the church of Chamalieres serves as a link between the diverse regions studied in this book unifying certain characteristics which appear dissimilar by displaying in its architecture and decor traits common to them all. The sober architectural masses, the gabled facade, the importance given to the apse, the hemicycular chapels and exterior decorated by stone mosaics and panels which recall the prisms of phonolitic lava to be seen at Espaly, for example, near Puy, and finally the sobriety of the sculptured decor harmonising with the painted decoration, also limited to the apse. These characteristics of the church of Chamalieres can give us an idea of the early chapel built on the site of the present day cathedral of Puy.

Above all, it is the symbolic arrangement of the carved and painted themes in the entrance to the apse which is very typical of the region. As later seen in the Chaise-Dieu, a celebrated abbey also situated in the Haut-Loire and of Romanesque origin, the main idea expressed by the motifs is funerary and always with the conception of stages.

At the entrance "typological" images are to be seen, that is to say, alluding to the time before Christ, the time of the gentiles and the "world" on the doorway is symbolised by hunting motifs or combatting animals: the time of the Jews show figures in the round bearing phylacteries and have great expressive value.

On the North side is the figure of the "androphagus", a man held head downwards in the jaws of a lion, this expresses death despoiling terrestrial life. On the South, near a door which communicates with a cloister, recently opened, is the "tomb of the bishop" with adjoining reliefs expressing the idea of the soul ascending to heaven fortified by the sacraments, whilst the choir contains frescoes portraying the dogmas of faith in the form of Christ surrounded by the Tetramorph and the Virgin and Child. On the pillars of the triumphal arch are the Saints Benedict and Scholasticus who through their works of charity have surely deserved Paradise. All these subjects, which show Languedoc influence, are disposed round the apse which is raised like a cupola in imitation of the Celestial City described in the Apocalypse, a text which has inspired many churches in the Southwest.

Table of Illustrations

275

Der Dom von Le Puy

Er ist eins der berühmtesten romanischen Denkmäler Südfrankreichs. Kennzeichnend für ihn sind die Fassade, die mit einem Steinmosaik und Turmarkaden statt der Doppeltürme geschmückt ist, eine Reihe von Kuppeln auf Gewölbekappen über Doppelsäulchen, seine nördliches und südliches Querschiff unter Galerien, von denen die nördliche noch mit primitiven Fresken geschmückt ist, seine Vorhalle am Chor, Porche du For genannt, in dem sich arabischer Einfluss zeigt, und schliesslich sein pyramidenförmiger und siebenstöckiger Glockenturm.

Leider wurden mehr als 3/4 des Gebäudes mehr oder weniger glücklich restauriert, und gewisse Teile wurden dadurch sogar entstellt .So sind in der Nähe des viereckigen Chores der gallo-römische Fries, der Fenstersturz des päpstlichen Tores und der Fries aus entgegengesetzten S die einzigen Überreste des ursprünglichen Chores (von aussen gesehen). Vor der Restaurierung im XIX. Jahrhundert hatte dieses Chor sieben Flächen wie das vieler Kirchen an der oberen Loire und einiger Kirchen in Forez. Es war der einzige Rest der ursprünglichen Kirche aus dem XI. Jahrhundert, die nur beschränkte Ausmasse hatte. Der Engelturm über der Vierung war ein Lampenturm. Auch der Haupteingang für die Pilger wurde entwertet, denn anfangs gestattete ein Tunnel, bis zum Chor der Kirche vorzugehen. Der Dom hing also buchstäblich im leeren Raum, denn dieser Tunnel sollte unter das Schiff durchgehen.

Mehrere Gründe erklären die Restaurierungen. Zuerst diese etwas seltsame Lage im leeren Raum hat nacheinanderfolgende Ausbesserungen notwendig gemacht, die nach einiger Zeit wiederum nicht ausreichten. Übrigens entstellten schliesslich zahlreiche nicht zum Ganzen passenden Konstruktionen den ursprünglichen Plan der Kirche, insbesondere waren Kapellen aussen am Chor hinzugekommen. Andere standen sogar im Kircheninneren; diese wollten die Architekten des XIX. Jahrhunderts beseitigen.

Deshalb soll der eilige Tourist nicht sosehr bei den Einzelheiten der Architektur oder des Bildhauerwerks verweilen wie in anderen romanischen Gebäuden, sondern er wird sich damit zufriedenstellen, das Ganze zu bewundern und vor allem den Anblick, den die Kirche von aussen gewährt: sie beherrscht mit ihren harmonischen Formen die Stadt mit den rosa Dächern; auch harmonisieren ihre Farben und Formen vollkommen mit der einzigartigen vulkanischen Landschaft. Zu Fuss sollte man sich der Kirche nähern und dabei wie die Pilger des Mittelalters den gewundenen Gassen folgen, die zu ihr führen.

Trotz der begangenen Entstellungen bleibt eine Anzahl Überreste der ursprünglichen Ausschmückung, die die Aufmerksamkeit verdienen. Sie sind sehr interessant und befinden sich an den drei Haupteingängen des Domes, jede für eine bestimmte Gruppe von Wallfahrern bestimmt. Im Westen, am Ende der Rue des Tables, wo sich früher die Läden der Kaufleute befanden, war der für die Masse der Wallfahrer vorbehaltene Haupteingang. Sie kamen durch den in die Mitte der Kirche führenden Tunnel. Dem gegenüber war der Haupteingang für hohe Geistliche, insbesondere für den Papst, Porche du For genannt. Die Vorhalle Saint-Jean, ebenfalls am Chor, aber auf der anderen Seite des pyramidenförmigen Turmes, d.h. im Nordosten, war der Eingang für Könige und Adlige. Man brauchte mehrere Eingänge, weil die Engelkirche von Le Puy das Lourdes des Mittelalters war, wo die Massen sich drängten. Viele Kranke baten um ihre Heilung beim wundertätigen Stein, *Fieberstein* genannt, den man am Haupteingang sehen kann und der sich früher nahe dem Chor befand. Könige und Päpste haben mit Geschenken die Reliquienschein-Madonna überhäuft, die von den Massen verehrt wurde und vielleicht ein Geschenk des Heiligen Ludwig war, das er aus seinem Kreuzzug nach Agypten mitgebracht haben soll.

Zu beiden Seiten des Eingangs für die Wallfahrer finden wir zwei Türen aus geschnitztem Holz : die eine ist mit Szenen der Passion, die andere mit Szenen der Geburt geschmückt. Unter ihnen befindet sich die Verkündigung. Ein wenig weiter verbinden Fresken byzantinischer Machart die ruhmreiche Jungfrau, die ihr Kind trägt, mit der Himmelfahrt. In den Kapellen des nördlichen Querschiffes sehen wir die Heiligen Frauen beim Grabe und das Martyrium der H. Katharina von Alexandrien. Alle diese Darstellungen waren treffende Illustrierungen der Bibeltexte, da das Volk, das sie betrachten sollte, des Lesens unkundig war.

Sämtliche am Porche du For dargestellten Themen sind ein zusammenfassendes Bild der Welt, so wie die Wissenschaft des Mittelalters sie sich vorstellte; denn die Kleriker waren die einzigen Träger der Wissenschaft.

Der Eingang der Könige forderte die Grossen dieser Welt zur Demut auf; denn sie mussten an den Löwen der Gerechtigkeit, Symbolen der Kirchlichen Gerechtigkeit, vorübergehen, die sich am Eingang der Taufkapelle befinden. Die Themen und Inschriften des Tympanons sollten ihnen Ehrfurcht vor dem Dienst Gottes einflössen.

So passen sich an jedem Eingang die Darstellungen der besonderen, dort eintretenden Gruppe der Gläubigen an.

Die Kirche besass auch noch ein zweites Chor im Westen, das *Sankt-Andreas-Chor,* ursprünglich den dem Volke vorbehaltenen Teil der Kirche im Gegensatz zum Chor der Kanoniker. Bildhauerwerk, das von den Fresken der koptischen Kirchen inspiriert wurde, schmückt das vierte Joch : Christus zwischen Sonne und Mond, die zwölf Apostel kniend, das von den Greisen angebetete Lamm, Personen, die in den Heilsweg darstellenden Kreisen dargestellt sind, andere unter Tieren und Tiermenschen gemischt, den Weg der Sünde und die Entwertung bis aufs Tier darstellend, die dem Sünder droht. Ein ähnliches Bilderprogramm auf Kapitellen, deren Originale man im Museum Crosatier sehen kann, schmückt den pyramidenförmigen Glockenturm.

Nicht nur in der Bilderkunst des Domes, sondern auch in seiner Architektur zeigt sich der Einfluss der koptischen Kunst; der Grundplan mit zwei entgegengesetzten Chören war im koptischen Ägypten häufig; ebenfalls das kleeblattförmige Chor, von dem das Chor von Le Puy Ansätze zeigt. Die Kuppeln ahmen denen der Heiligtümer von Assuan nach. Übrigens betrachtete eine starke Überlieferung die Reliquienschrein-Madonna als *ägyptisch,* und die Einsiedler, die anfänglich die Gegend evangelisierten, kamen mit Sicherheit von den Inseln von Lérins, deren Klöster bis zur arabischen Invasion in unmittelbaren Beziehungen mit Ägypten, der Heimat der Asketen der Thebais, geblieben waren.

277

Der Kreuzgang von Le Puy

Der Kreuzgang des Domes von Le Puy ist das anziehendste romanische Denkmal der Stadt. Auch wurde er weniger restauriert. Er bezaubert zugleich durch die harmonischen Farben seines Steinmosaiks, der arabischen Einfluss aufweist, und durch sein kraft- und kunstvolles Bildhauerwerk, das dem des Domes überlegen ist.

Man hat dennoch im XVIII. Jahrhundert die Südseite zerstört, die, wiedererrichtet, später restauriert wurde. Im XIX. Jahrhundert beseitigte man ein Stockwerk, das die Galerien überragte, und man restaurierte ein wenig zu stark den vom Klosterhof sichtbaren Fries unter dem Dachgesims : das vorspringende Dach erlaubt nicht überall, ihn genau zu betrachten, wie er es verdient, denn er ist sehr reich und lebhaft.

Der rechteckige Kreuzgang hat auf den kleineren Seiten fünf Arkaden zum Klosterhof hin, auf den grösseren Seiten zehn Arkaden. Der Wandelgang hat ein Gratgewölbe mit leichten Änderungen in der Aufstellung der Säulen an den Ecken, um dem Gratgewölbe seine vollkommene Regelmässigkeit zu erhalten.

Wie Herr Schneider in bezug auf die *musikalischen Kreuzgänge* Kataloniens bewiesen hat, werden die Themen in den Kreuzgängen kreisförmig abgelesen; man soll die Kapitelle betrachten, je nachdem sie von der Sonne beschienen werden, d.h. in einer den Uhrzeigern entgegengesetzten Richtung. Dann unterscheidet man eine Reihenfolge der Kapitellthemen, von denen einige vom Klosterhof, andere und die zahlreichsten vom Wandelgang aus sichtbar sind. Jedoch bilden sie in Gegensatz zu den katalonischen Kreuzgängen keine durchlaufende Reihenfolge, und die Bilderthemen der Kapitelle werden durch die auf dem Fries vervollständigt.

Der allgemeine Gedanke des Frieses bezieht sich auf die Gefahren, die dem Mönch zu den verschiedenen Stunden des Tages und vor allem der Nacht drohen, denn der Schlaf macht ihn wehrlos gegen die Träume. Zuerst sieht man im Nordwesten Menschen mit Tieren vermischt, dann Menschen oder Tierköpfe umgeben von Fledermäusen, Schlangen, Schnörkeln und Tieren, Abbildungen der Versuchungen im Laufe des Tages. Im Norden zeigt sich der Mensch auf verschiedene Arten unter halbtierischen Formen, die Wandlungen andeutend, denen die Sünde ihn unterzieht. Diese nicht von der Sonne beschienene Seite entspricht den nächtlichen Versuchungen.

Die Kapitelle dagegen zeigen die Heilswege an. Der Anfang der Weisheit ist die Furcht vor dem Urteil, auf den Kapitellen im Nordwesten gezeigt. Zuerst sieht man die Löwen, häufiges Thema auf den apokalyptischen Bildern, den Kampf des Abtes und der Äbtissin, dann das eigentliche Urteil, vor allem einen trotz der Teufel den Himmel betretenden Auserwählten. Im Süden werden die den Auserwählten versprochenen Belohnungen durch aus dem eucharistischen Gefäss trinkende Tauben und durch Köpfe zwischen Vögeln angedeutet. Schliesslich in der Nordostecke, am Ende des Tages, erscheint das Lamm der Apokalypse und die vier vom Heiligen Johannes beschriebenen Tiere, die im Mittelalter als das Abbild der christlichen Tugenden galten.

Die vom Hofe sichtbaren Kapitelle zeigen die zwei Hauptversuchungen des Mönches. In der Mitte der Ostseite zeigt die Flucht der Kentaurin vor dem Kentauren die fleischlichen Versuchungen, die morgens am heftigsten sind. In der Südwestecke sind die tanzenden Araber, die Gefahr der Ketzerei darstellend, eine Zusammenfassung der Sünden des Geistes; denn nachmittags vor allem kann sich der Zweifel des Geistes bemächtigen. Es bleiben nur noch wenige Schlusssteine an den Arkaden übrig, früher mit Themen geschmückt, die sich denen der Kapitelle und des Frieses anpassten. Eine grosse Anzahl der Themen des Kreuzganges werden deutlicher dank den Schriften des Jean Cassien, eines Mönches aus Marseille, der 16 Jahre in Ägypten gewohnt und Beziehungen zu den Mönchen von Lérins hatte.

Man wird den Kreuzgang nicht verlassen ohne den Totensaal zu bewundern mit seinem schönen, die Kreuzigung darstellenden Fresko und seiner interessanten romanischen Tür aus Schmiedeeisen.

Kapelle von Aiguilhe

In unmittelbarer Nähe von Le Puy — denn Aiguilhe ist nur ein Vorort von le Puy — soll man die Kapelle Saint-Michel von Aiguilhe im Anschluss an den Besuch des Domes besichtigen. So war es auch im Mittelalter, denn die Wallfahrer, die die Jungfrau verehren kamen, begaben sich immer nachher nach Aiguilhe auf den Felsen. Sowie nämlich die im Mittelalter berühmte Kapelle des Monte Gargano bei Bari in Italien und wie der Mont-Saint-Michel bei Saint-Malo in Normandien, erhebt sich die Kapelle von Aiguilhe auf einer Höhe, einem basaltischen Gesteinsgang, von kel-

tischen Legenden umwoben. Doch der Stifter der Kapelle, Godescalc, war der erste Compostella-Wallfahrer, und, wie der Dom und der Kreuzgang von Le Puy, weist die Kapelle von Aiguilhe durch ihre Architektur und Ausschmückung Beziehungen zu Spanien auf.

Man kann im Bau die Spuren zweier nacheinanderfolgenden Bauepisoden feststellen. Die von Godescalc gebaute Kapelle aus dem ausgehenden XI. Jahrhundert war mit den karolingischen Gebäuden verwandt, insbesondere mit der Pfalzkapelle von Aachen, und ihre ziemlich verwischten, von karolingischen Handschriften inspirierten Fresken sind denen der merovingischen Krypta von Ternand im Rhônetal ähnlich. Wie viele Gebäude aus den Anfängen des Christentums geht der Plan der Kapelle auf die Beschreibung der *himmlischen Stadt* der Apokalypse zurück; denn unten hat sie eine kubische Form und wird von einer Kuppel, die den Himmel darstellt, gekrönt. Wie in den ebenfalls die heilige Stadt darstellenden byzantinischen Gebäuden ist die Kuppel geschmückt mit einem Christus Pantokrator zwischen den Symbolen der Evangelisten und auf den Mauern der viereckigen Basis, die die Erde darstellen, sind die zwölf Aposteln gemalt. Aber wie den spanischen Apokalypsen, die das Tympanon von Moissac und die Fresken von Maureillas in Roussillon inspirierten, stellen die Fresken auf den Seiten der Kuppel das Jüngste Urteil dar: Im Osten werden die Auserwählten durch die Arkaden einer schönen Wohnung geschützt, die Verdammten werden durch ein von einem Engel bedientes Rad weggeschleppt. Im Westen wartet der Erzengel Michael auf die Befehle seines Herrn, nördlich und südlich wird Christus von sechsflügeligen Seraphim angebetet.

Die ursprüngliche Kapelle ist die Apsis des jetzigen Gebäudes, das aussieht wie eine Art von Gang mit neun Jochen von unregelmässigen Gratgewölben. Im Norden läuft es auf ein halbkreisförmiges Joch aus, das eine Art von Chorkapelle bildet und im Süden befindet sich ein aus zwei Jochen bestehende Vorhalle. Hier gibt es einen reich mit Intarsien geschmückten Giebel, auf der anderen Seite eine verkleinerte Nachahmung der pyramidenförmigen. Domturmes. Während der grösste Teil des Schiffes am Ende des 11. Jahrhunderts entstanden ist, sind Fassade und Turm jünger, vermutlich aus der 2. Hälfte des XII. Jahrhunderts.

Die Architektur des Schiffes ist bemerkenswert wegen ihrer ausgebauchten Säulen und ihrer Kapitelle mit Tiermotiven oder einfach mit geometrischen Figuren versehen, die oft sehr elegant sind, aber der interessanteste Teil des Gebäudes ausser den allzu verwischten Fresken ist die Fassade. Sie erinnert offensichtlich an die byzantinische Kunst wie die innere Ausschmückung der Kapelle: dies trifft vor allem zu für den reichen Pflanzenschmuck der Zwickel über dem Eingang, der an der der Säulenhallen der Kanons in den byzantinischen Evangeliarien erinnert, ebenfalls für den Gipfel der Fassade, wo die Anwesenheit des H. Johannes und der Madonna rechts vom Christus-Richter an die Parousia in der byzantinischen Ikonographie erinnert.

Anderseits zeigen die das Lamm anbetenden acht Greise über dem Eingang, die Ähnlichkeiten

mit dem Tympanon des Portals von Manrèse in Katalonien aufweisen, Einflüsse der Apokalypsen des Beatus; auch taucht der Urteilsgedanke in mehreren Themen auf: erstens die Ungeheuer, mit halbem Körper aus der Mauer hervorragend, die als Warnung dienen; zweitens die Sirenen des Türsturzes und die Geister in den Blattwerkschnörkeln, die asymmetrisch aufgestellt sind, um den Gegensatz zwischen Auserwählten und Verdammten darzustellen; darüber die höchsten Richter unter von offenen Händen getragenen Arkaden ähnlich denen am Porche du For: Christus zwischen den beiden Fürsprechern, der Jungfrau und Johannes, und die zwei Ankläger: Michael und Petrus. Die Gewichtigkeit der Urteilsthemen sowie die breite Entwicklung der Fassade, die wir beim Dom von Le Puy nicht antreffen, bringt die Kapelle von Aiguilhe in die Nähe der Kirchen der Schule des Westens.

Man sollte das malerische Dorf Aiguilhe nicht verlassen ohne die eigenartige und schöne Kapelle Saint-Clair zu besichtigen, die einem arabischen Koubba ähnlich sieht. Sie hat sieben mit Bogenwerk geschmückten Flächen, Steinmosaiken und eine halbkreisförmige Apsis.

Tafel der Abbildungen

Saint-Romain-le Puy

Die kleine Kirche Saint-Romain, le Puy genannt wie die Hauptstadt von Velay, ist die schönste und eigenartigste von Forez. Sie nähert sich in vielerlei Hinsicht den Kirchen von Velay, aber sie zeigt besser als diese den Einfluss von Lyon. Abhängig von Ainay zu Lyon, ist die Kirche Saint-Romain tatsächlich das Werk desselben Baumeisters, der die erste Kirche von Ainay, von der die Kapelle Sainte-Blandine übrigbleibt, baute : die Machart der Kapitelle, die sie schmückenden Schnörkel sind die gleichen. Man kennt den Namen dieses Baumeisters durch die Inschrift auf dem äusseren Fries von Saint-Romain.

Der Grundplan der Kirche ist ziemlich verwickelt denn bei aufmerksamer Betrachtung kann man drei auf einander folgende Baustellen feststellen. Eine erste Kirche, kaum eine Kapelle, wurde kurz vor dem Jahr 1000 gebaut, fast gleichzeitig also mit der Kapelle von Aiguilhe. Sie umfasste das jetzige Schiff, das Joch unter dem Turm und halbkreisförmige kleine Kapellen. Man erkennt das Alter dieser ersten Baustelle am verwendeten Baumaterial : einem kleinen Stein und manchmal einer Abwechslung von Backstein und Stein. Die zweite Bauperiode hat das erste Gebäude fast unangetastet gelassen und ihm ein Chor und eine Krypta, die von Chorkapellen umrahmt sind, hinzugefügt. Diese Vergrösserung, die das Chor doppelt so gross macht, hat diesem grosse Wichtigkeit verglichen mit dem Schiff verliehen. Diese Wichtigkeit des Chores ist bezeichnend für Forez und Velay und im allgemeinen für das Gebiet um Lyon.

Die dritte Bauperiode hat das Ganze umgestaltet : insbesondere der ursprünglichen Kirche ein Gewölbe geschenkt und das Chor erhöht. Man musste zugleich das Schiff mit Bogenwerk an den Mauern verstärken, ebenfalls die Vierung und die Apsis, indem man sie mit Pfeilern und Kapitellen versah. Diese Kapitelle zeigen eine spätere Machart als die der Krypta, und man muss sie in Verbindung mit denen von Ainay bringen.

Die schmückenden Themen sind in symbolischer Absicht klug zusammengestellt. Sie umfassen zuerst einen äusseren Fries bestehend aus in Halbrelief bearbeiteten Platten. Die Motive sind einfach nebeneinander aufgestellt. Dieses Aufstellungssystem war schon in provençalischen keltischen Heiligtümern gebräuchlich, und auf zwei dieser Platten findet man das Hakenkreuz und den angreifenden Stier der Marseiller Münzen. Diese Platten weisen auf Einfluss aus Lyon hin, denn diese Motive, die man in Ainay zurückfindet, in der benachbarten Saint-Rambert-Kirche und im Rhônetal müssen in den Abteien von Lyon serienmässig hergestellt worden sein, vor allem auf der Insel Barbe. Die Anwesenheit von dem Heidentum entliehenen Themen wie gebundene sich gegenüber stehende Vögel, Doppellöwen, Christusmonogramme mit Lilien, und eines Themas aus der Genesis, die Versuchung Adams und Evas darstellend, erklärt sich aus der Absicht, die heidnischen Symbole, Vorläufer der christlichen, zu betonen. Dies entspricht auch den Gedanken des H. Irenäus, Gründers der ersten Kirche Lyons, der ein Orientale war und der in voller Figur auf einem der romanischen Fresken der Kirche dargestellt ist.

Die Hauptthemen des Frieses findet man unter verschiedenen Formen in der Apsis und der Krypta, um einen anderen Gedanken auszudrücken. Man findet in der Apsis die Christusmonogramme mit Lilien, aber in einem Kreis eingefasst, und andere Kapitelle sind mit einem Schnörkelmotiv und an jeder Ecke mit Widderköpfen, Vorabbildungen der Kreuzigung, geschmückt. Die Fresken aus verschiedenen Zeiten des Schiffes und des Chores stellen Märtyrerszenen dar. Das den Märtyrerszenen und dem Opfertod Christi verliehene Gewicht muss in Verbindung gebracht werden mit der Zeremonie der Messe und mit dem kreuzförmigen Grundriss der Kirche.

Die Themen der Kapitelle in der Krypta haben einen himmlischen oder apokalyptischen Sinn : die Löwen stehen einander nicht mehr nur gegenüber wie auf dem Fries, sondern sie sind hier die zerstörenden Tiere der Apokalypse; die aus dem Gefäss trinkenden Vögel sind nicht mehr aneinander gebunden, und das Gefäss hat die Form eines Henkelkreuzes; statt des Hakenkreuzes mit nach links gerichteten Balken, zeigen gewisse Kapitelle ein drehendes, nach rechts gerichtetes Rad; statt des kreuzförmigen Blattwerks sieht man die sich entfaltende Blume; einander gegenüberstehende Pfaue sind das Abbild des wiedergefundenen Paradieses. So, trotz ihres schematischen und scheinbar dekorativen Aussehens, haben die Themen von Saint-Romain-Le-Puy eine tiefe Bedeutung. Man kann ihre geraffte Erscheinung dem keltischen Einfluss zuschreiben. Denn, wie in Le Puy, hatte hier auf der Höhe ein Stein keltischen Ursprungs eine heilende Kraft. Andererseits wurden gewisse antike Überreste in der Kirche wiederverwendet. Auch fand man in den benachbarten Oppida von Essalois und Montverdun eine Unmenge keltischer Gegenstände. Aber auch der Einfluss von Lyon erklärt den fast nur tierischen oder Pflanzenschmuck der Kirche. Denn, obwohl jüngeren Datums, zeigt auch die Apsis von Ainay weniger biblische oder Personen darstellende Themen als tierische.

Tafel der Abbildungen

Pommiers-In-Forez

Nicht nur die Kirche, sondern das ganze Dorf verdient einen Besuch; denn es handelt sich um einen befestigten Ort auf einer Höhe mit alten Toren und einem Priorat mit massiven Türmen, und in der Nähe fliesst die Aix, die eine Brücke aus dem XV. Jahrhundert hat. Der Ort wurde schon in der römischen Periode bewohnt, was die vielen Überreste innerhalb und ausserhalb der Kirche beweisen : Meilensteine, Votivsäulen, gallorömisches Grab, Marmorsäulen, usw.

Trotz ihrer ziemlich grossen Geräumigkeit mit drei Schiffen und trotz der Hilfe der Grafen von Forez ist die Kirche auffallend schmucklos wie viele romanische und gotische Kirchen von Forez. Ihre einzige Ausschmückung besteht in den Fresken des Spätmittelalters und der Renaissance, vor allem in der nördlichen Chorkapelle. Sie beziehen sich hauptsächlich auf den Opfertod Christi und ähneln dem inneren Schmuck von Saint-Romain.

Der einzige romanische Schmuck der Kirche sind einige Raben aus Terracotta, Ungeheuer darstellend, die das Gesims an der Südmauer auf der Seite des Kreuzganges schmücken. Diese Terracotta-Raben sind ein keltisches Überbleibsel, was auch wieder Pommiers zu Saint-Romain in Beziehung bringt. Die spärliche Ausschmückung der Kirche, ziemlich selten in der romanischen Periode vor der Zisterzienserreform, lässt sich vermutlich durch die Erinnerung an die keltische und römische Vergangenheit erklären, da diese,

vor allem die römische Kunst, in Lyon, insbesondere auf den Gräbern sehr bildarm war.

In ihrem jetzigen Zustand zeigt die Kirche Mittelschiff und Seitenschiffe, Querschiff mit Chorkapellen, Vierung und Apsis. Wie in Saint-Romain unterscheidet man drei verschiedene Bauperioden. Zuerst ein Gebäude mässigen Umfangs aus dem Anfang des XI. Jahrhunderts, mit einem Schiff, einem ziemlich hervorspringenden Querschiff und Chorkapellen. Am Ausgang des XI. Jahrhunderts wurde die Kirche dadurch vergrössert, dass man in den Mauern des ursprünglichen Schiffes Seitenschiffe ausbrach und vor allem ein geräumiges Chor mit Querschiff und Chorkapellen herstellte wie in Saint-Romain. Der vorher bestehende Kreuzgang im Süden hinderte das südliche Querschiff daran, nach aussen vorzuspringen wie das nördliche Querschiff. Bei dieser Vergrösserung hatte man vermutlich nicht die nötigen Vorsorgsmassnahmen für die Festigkeit des Gebäudes getroffen, denn man hat die Bögen des Querschiffes sowie die beiden Seiten des Chores von aussen in der gotischen Zeit verstärkt. Wie üblich in Forez ist das Chor der am besten gepflegte Teil der Kirche und es hat, wie Saint-Romain und L'Hôpital-sous-Rochefort drei Bogenwerke über Doppelsäulchen, die die Fenster umrahmen und mit Kapitellen geschmückt sind. Diese Kapitelle bestehen aus Kugeln und Haken, was für die gotische Kunst bezeichnend ist. Übrigens datieren auch die Strebepfeiler aussen am Chor aus dieser Zeit.

Durch gewisse Wesenszüge ihrer Architektur nähert sich die Kirche gewissen Gebäuden aus der Provence oder dem Rhônetal. Denn die Trapezform ihres Chores ist mit der der Kirche von Bourg-de-Thizy, die jetzt eine Ruine ist verwandt, Auch das Gewölbe des Schiffes, das viel höher ist als das der Seitenschiffe, hat eine Art von Bullaugen, die bezeichnend sind für die provençalischen Schiffe (Vaison, Saint-Paul-Trois-Châteaux), und weniger der Beleuchtung als der Lüftung dienen.

Aber auch der Einfluss von Lyon macht sich bemerkbar. Obwohl das Priorat von Pommiers, 891 gegründet, im Rahmen des kluniazenser Ordens zu Nantua gehörte, wurde es im XII. Jahrhundert mit Lyon verbunden. So ist ein typisches Merkmal der Kirche von Pommiers im Gewölbe des Schiffes eine Reihe von Resonanzkästen, *échéas* genannt, die den Römern schon bekannt waren und zuerst in Ainay auftauchen, bevor sie sich in Forez verbreiten (Saint-Thomas-la-Garde, Néronde, Brison).

Wenn auch jede Ausschmückung der Kirche und insbesondere der Kapitelle fehlt, so war die Apsis ursprüglich mehr geschmückt als es jetzt der Fall ist. Zunächst gibt es im Chor eine Steintafel, deren Rand früher gut ausgeschmückt war, den *Morgenaltar,* der einer frühen Liturgie diente. Bemerkenswert ist aber vor allem ein Bruchstück einer Chorschranke, jetzt im Museum des alten Pommiers zu besichtigen. Diese Chorschranke,

einfache, rechteckige, mit Bildhauerwerk versehene Platte, kam ohne Zweifel von Ainay, dessen Chor reich mit Bildhauerwerk geschmückt war. Und wie die Ausschmückung von Ainay ein schwacher Abglanz von der der koptischen Apsiden war, so ist das Hauptmotiv des Bildhauerwerks auf dieser Chorschranke, eine vor einem Löwen fliehende Gazelle, Abbild der vor dem Bösen fliehende Seele, die Kopie eines Motivs der Fresken von Baouit.

Tafel der Abbildungen

Rozier-Côtes d'Aurec

Über die Ursprünge der Kirche von Rozier-Côtes-d'Aurec weiss man nicht viel. Sie unterstand einem kluniazenser Priorat, aber ihr Gründungsdatum wird nirgends angegeben und wir haben nur Beweise für die Besuche der kluniazenser Vorgesetzten im XIII. Jahrhundert. Das Gebiet von Rozier gehörte zum Bistum von Le Puy, aber seit 1061, als der Kirchenbau möglicherweise angefangen wurde, ist es mit Aurec eine Enklave von Forez, die der Graf Arthaud V. der Abtei Saint-Michel-de-la-Cluze schenkte.

Ihre Architektur ist sehr gepflegt. Ihr für eine Kirche von Forez aussergewöhnlich reiches Bildhauerwerk zeigt wie das der Kirchen von Velay die grossen Einflussrichtungen aus Spanien und Italien. Wenn andererseits die übrigen Kirchen von Forez unter dem Einfluss von Lyon standen, so beweist die Wichtigkeit, die dem Menschen auf den Kapitellen gewährt wird, den Einfluss von Vienne.

Der Grundriss der kleinen Kirche von Rozier wiederholt sich sehr häufig in Forez : ein Schiff mit drei Jochen, Querschiff mit Chorkapellen, Vierung mit Kuppel und Turm. Die Kirche hat gewisse Anzeichen von Altertum : kleines Mauerwerk, die seltsamen Gewölbekappen der Kuppel, aus einer Reihe ausladender Bögen bestehend. Andererseits erscheinen im Vergleich mit anderen Gebäuden aus Forez fortgeschrittene Merkmale : die gepflegte Zurichtung mit grossem oder mittlerem Stein, die schlanke Form der Kapitelle, verglichen mit den meisten Kapitellen in Forez, die kubisch sind, das Rundbogengewölbe des Schiffes mit Gurtbögen auf an Pfeiler angelehnten Halbsäulen. Deshalb glauben wir, dass diese Kirche

trotz ihrer Archaismen eher Ende des XI. Jahrhunderts entstanden ist.

Der wichtige Turm zeigt den Einfluss des Rhônetals; denn mit seiner dopelten Reihe von Schallöchern ahmt er, wie die Kirchen Saint-Rambert und Chandieu in Forez, die Glockentürme von Ainay in Lyon und der Kirchen von Vienne nach. Wie es in Forez und Velay üblich war, ist das Chor der am besten gepflegte Teil der Kirche : aussen hat es Flächen wie diese der Kirchen von Velay. Innen ist es kreisförmig und hat drei Bogenwerke auf Doppelsäulchen zu beiden Seiten eines Pfeilers, der drei Fenster umrahmt. Die Machart der gerillten Pfeiler, die Themen der Kapitelle, von denen eins die Nachahmung eines keltischen Gottes darstellt, der Rundstab der Säulchen, der mit dem Schaft eine Einheit bildet, dies alles beweist die Nachahmung des Altertums, was auch in der Apsis von Saint-André-le-Bas in Vienne der Fall ist. Rozier war nicht weit von einer grossen römischen Strasse, der via Bollena, entfernt, die es mit Le Puy und dem Südwesten verband.

Diese Beziehungen erklären auch die Ähnlichkeit des in Forez seltenen Tympanons mit dem von Huesca in Aragon. Es stellt die Anbetung der Weisen dar, und ein achteckiger Stern, einer grossen Rose ähnlich, aber ziemlich unbeholfen ausgearbeitet, beherrscht das Ganze. Darüber stellt eine rechteckige Platte noch gröberer Machart Sankt-Blasius als Abt dar. Die, wie in Forez üblich, sehr einfache Fassade wird von einer Reihe von Sparrenköpfen gekrönt, die die Zeichen des Tierkreises tragen, wie man sie am Dom Saint-Maurice in Vienne sieht, und die auch mit der Anbetung der Weisen in Verbindung stehen. Aber die Nachahmung von Vienne, insbesondere von Saint-André-le-Bas, ist vor allem an den Kapitellen sichtbar. Diese, drei an der Zahl in den beiden Kirchen, wollen die drei Stufen der Mystik und den Kontrast zwischen dem beschaulichen und dem aktiven Leben darstellen. Das aktive Leben, d.h. der Sieg über die Welt trotz des Lebens in der Welt, wird in Vienne durch den biblischen Held Samson, der den Löwen bekämpft, ausgedrückt; in Rosiers durch einen Mann, der im Begriffe zu sein scheint, von einem Wolf gefressen zu werden, Darstellung, die an das Thema des keltischen Männerfressers erinnert. Die zweite Stufe, die der Abwendung von der Welt, wird in Saint-André symbolisch dargestellt durch die Szene, in der man den von Frau und Freunden verachteten Hiob sieht; in Rozier steht Hiob zwischen einem Menschen und einem Hund, die ihn mit ihrem Geschrei und Gebell zu verfolgen scheinen. Die dritte Stufe, die der mystischen Versenkung, wird in Vienne durch eine auf einem Thron sitzende Allegorie dargestellt, die auf ihren erhobenen Armen einen mit architektonischen Motiven geschmückten Bogen trägt; in Rozier durch einen Mann, der zum Himmel zu fahren scheint; zu seiner Rechten; auf einer Seite des Kapitells, befindet sich ein geflügelter und gehörnter Drache, ein Thema keltischen Ursprungs.

Schliesslich, um diese trotz der groben Ausführung des Bildhauerwerks gedankenreiche Thematik zu vervollständigen, stellt ein schön bearbeiteter Altar in einer Seitenkapelle einen apokalyptischen Christus zwischen dem Alpha und Omega dar.

Tafel der Abbildungen

Chamalières

A. Geschichtliches

Obwohl diese Kirche, wie die von Monastier, den Touristen unbekannt ist, verdient sie einen Besuch; denn sie ist eine der grössten und schönsten an der Oberloire.

Sie liegt mitten im Forez-Velay, 50 km von Saint-Étienne und 30 von Le Puy, in einer herrlichen Umgebung an den Ufern der Loire. Durch ihre geographische Lage und dank ihren berühmten Reliquien—dem H. Gilles von Arles und dem H. Clou, Geschenk Karls des Grossen—hatte sie eine weite Ausstrahlung; denn alle örtliche Familien schenkten der Kirche Ländereien und Priorate bis in Cantal, Roannais und in der Gegend von Lyon und ihre Mitglieder stritten sich um den beneideten Priorstitel. Es gehörten ihr sogar Priorate aus der Umgebung von Le Puy an. Wir erfahren alle diese Einzelheiten aus ihrem noch fast vollständig erhaltenen Kartularium, übersetzt von *Jacotin* und aufbewahrt in Gallia Christiana von *Dom Estienne* und im Glossarium von Du Cange.

Die frühere Wichtigkeit von Chamalières kommt noch zum Ausdruck in der für diese Gegend seltenen Grösse der Kirche, die umso mehr auffällt, als das Dorf in einer wilden Landschaft wie verloren liegt. Nur 27 Mönche gehörten dem Kloster, und da dies von Monastier abhing, wurde es bald zum Priorat herabgesetzt.

Man wundert sich, dass grosse adlige Familien sich dermassen für eine in der kirchlichen Hierarchie nicht wichtige Kirche interessierten. Aber Chamalières steht in dieser Hinsicht nicht allein; denn zu allen Zeiten zeigten die Einwohner von Forez-Velay eine grosse Zuneigung zu Einsiedlern und Zurückgezogenen, die einsam in der wilden Natur lebten und die kirchlichen Ehren mieden. Diese Tatsache muss zweifellos in Verbindung gebracht werden mit keltischen und koptischen Einflüssen, die vom örtlichen Christentum aufgenommen wurden. Diese Verehrung der wilden Natur und der Einsiedeleien zeigt sich noch heute im »Mystère« von Paulhaguet, das zu Ehren der H. Dreifaltigkeit aufgeführt wird und das an einige seltsame Aspekte von Riten des keltischen Altertums erinnert, oder auch noch vor den Toren von Saint-Étienne im Vergnügen, mit dem die Einwohner der Stadt die Einsiedeleien der Kamaldulen von Grangent und Essalois besuchen oder zur Jungfrau-mit-dem-Stuhl von Valfleury wallfahren.

B. Archeologisches

Als historisches Bindeglied zwischen den verschiedenen, in diesem Buch zusammengebrachten Gegenden, zeigt die Kirche von Chamalières in Architektur und Ausschmückung typische Züge, die allen diesem Gegenden gemeinsam sind: einfache architektonische Formen, Giebelfassade, betonte Sorgfalt um die Apsis, halbkreisförmige Kapellen, Choräusseres mit Steinmosaiken und Flächen, die an Lavaprismen denken lassen so wie in Espaly bei Le Puy, schliesslich Einfachheit des Bildhauerwerks in Übereinstimmung mit der nur in der Apsis vorhandenen gemalten Ausschmückung. Diese verschiedenen Eigenarten können uns das Aussehen ahnen lassen der Kapelle, die einst dort stand, wo jetzt der Dom von Le Puy sich erhebt.

Vor allem ist für diese Gegend bezeichnend die symbolische Anordnung der gemeisselten und gemalten Themen und zwar nash einer Einstufung,

die am Eingang angefangen sich bis zur Apsis
entwickelt. Wie später in La Chaise-Dieu, der
berühmten auch in diesem Departement der Oberloire gelegenen Abtei, deren Ursprung in die romanische Zeit zurückgeht, ist der Hauptgedanke dieser
Themen der Gedanke des Todes, und wie in Le Puy
wird immer wieder die Idee der Zeitabschnitte
ausgedrückt.

Am Eingang sieht man zuerst Bilder, die auf
den Zustand vor Christus hinweisen : die Heiden
und die »Welt« auf dem Portal, wenigstens so wie
sie ursprünglich aufgefasst wurden, mit Kreusen,
Jagdszenen oder Tierkämpfen; dann das Judentum,
dargestellt durch das »Weihwassergefäss der Pro-
pheten«, geschmückt mit Personen von starkem
Ausdruck.

Dem ersten Abschnitt entspricht im Norden, der
ungünstigen Seite der Kälte, die Figur des »Men-
schenfressers«: ein Mann wird mit dem Kopf nach
unten in den Rachen eines Löwen geworfen, oben
auf einem Portal; es ist eine Wiedergabe des Abster-
bens der irdischen Hülle. Im Süden, bei einer Tür
die zu einem neulich wieder freigelegten Kreuzgang, führt, gibt das »Grab des Bischofs« in reliefs
dem Gedanken des Himmels Gestalt, wohin die
mit den Sakramenten der Kirche ausgestattete Seele
sich begibt, während das Chor in Fresken die Dog-
men des Glaubens wiedergibt mit Christus umgeben
von dem Tetramorphen und der Jungfrau mit dem
Kind auf Pfeilern des Triumphbogens, und heiligen
Mönchen, Benediktus und Scholastika, die die Werke
der Nächstenliebe verrichten und schon auf dieser
Welt Anspruch auf das Paradies haben. Alle diese
Themen, in denen man den Einfluss von Languedoc
bemerkt, sind um die wie eine Kuppel erhöhte
Apsis aufgestellt, als Nachahmung der himmlischen

Stadt der Apokalypse, die die Architektur vieler
Kirchen im Südwesten inspiriert hat.

Tafel der Abbildungen

CE VOLUME
QUINZIÈME DE LA COLLECTION
″ la nuit des temps ″

CONSTITUE
LE NUMÉRO SPÉCIAL DE VACANCES
POUR L'ANNÉE DE GRACE 1962 DE
LA REVUE D'ART TRIMESTRIELLE
″ZODIAQUE″, CAHIERS DE L'ATELIER
DU CŒUR-MEURTRY, ÉDITÉE A
L'ABBAYE SAINTE-MARIE DE LA
PIERRE-QUI-VIRE (YONNE)

LES PHOTOS
TANT EN NOIR QU'EN COULEURS, SONT,
A LA SEULE EXCEPTION DE LA PLANCHE
3 QUI PROVIENT DES ARCHIVES PHOTO-
GRAPHIQUES, DES PHOTOGRAPHIES
ZODIAQUE.

LA CARTE,
RÉALISÉE D'APRÈS LES INDICATIONS
D'O. BEIGBEDER, ET LES PLANS ONT ÉTÉ
DESSINÉS PAR JACQUELINE LEURIDAN.

IMPRESSION
DU TEXTE, DES PLANCHES COULEURS
(CLICHÉS VICTOR-MICHEL) ET DE LA
JAQUETTE PAR LES PRESSES MONASTIQUES
LA PIERRE-QUI-VIRE (YONNE). PLANCHES
HÉLIOS PAR L'IMPRIMERIE HUMBLOT A
NANCY.

RELIURE
DE J. FAZAN, TROYES. MAQUETTE DE
L'ATELIER DU CŒUR-MEURTRY, ATELIER
MONASTIQUE DE L'ABBAYE SAINTE MARIE
DE LA PIERRE-QUI-VIRE (YONNE).

CUM   PERMISSU   SUPERIORUM

la nuit des temps 15